DE
NIEUWE
SPELLING

Samenstelling:
Gie van Roosbroeck

Deltas

Deze uitgave door: Deltas, België-Nederland.
Illustraties: Johan Verheyen
D-MCMXCVI-0001-286
Gedrukt in België
NUGI 943

Inhoud

Help, een nieuwe spelling

Nee, beboet kun en zul je niet worden als je woorden niet juist spelt. Als je per se *bessesap* wil blijven schrijven omdat dat smakelijker oogt dan *bessensap*, zal niemand je dat beletten. Of het echt verstandig is om verkeerd te spellen, is een andere kwestie. Want soms komt het er echt op aan keurig te spellen: bijvoorbeeld op school, op het werk of bij het solliciteren.

Er is veel te doen geweest over de nieuwe spelling. Zelfs specialisten waren het niet altijd eens over de nieuwe schrijfwijze van sommige woorden. Door dat alles kan de indruk ontstaan dat de nieuwe regels de spelling van het Nederlands ingrijpend veranderen. Dat is gelukkig niet waar. Een korte samenvatting maakt dat duidelijk.

Het meest in het oog springend is de afschaffing van de toegelaten spelling. Na de spellingwijziging van 1947 (*groote menschen* werden toen *grote mensen*) werd een officiële woordenlijst opgesteld die in 1954 werd gepubliceerd. Dat was het zogenaamde Groene boekje. Daarin werden voor bastaardwoorden twee schrijfwijzen toegelaten. Bastaardwoorden zijn woorden uit andere talen die aan het Nederlands zijn aangepast. *Collega* is zo'n bastaardwoord. *Collega* was de voorkeurspelling, *kollega* de toegelaten spelling. In de nieuwe spelling is alleen *collega* nog juist gespeld.

In de nieuwe spelling veranderen de regels voor de tussenletters -*n*- en -*s*-. Die regels zijn nu beter toepasbaar. Vroeger schreven we *bessesap* maar *bessenjam*, nu schrijven we *bessensap* en *bessenjam*.

De regels voor het liggend streepje, het trema en de apostrof zijn verduidelijkt en waar nodig vereenvoudigd.

En ten slotte werden – eindelijk – regels geformuleerd voor werkwoorden van Engelse herkomst (*breakdancen – ik breakdance – breakdancete – gebreakdancet*).

In dit oefenboek behandelen we alle regels die veranderen. Zo zijn er ook kleine wijzigingen van de regels voor het aaneenschrijven van woorden, het gebruik van hoofdletters en accenten. Daar waar het nuttig is, brengen we algemene spellingregels in herinnering. Bij elke regel geven we een reeks oefeningen. Per onderdeel zijn er herhalingsoefeningen. Achteraan in het boek vind je al de oplossingen. Uiteindelijk mag de nieuwe spelling geen probleem meer voor je vormen. Is er toch nog een woord dat je aan het twijfelen brengt, aarzel dan niet en raadpleeg het Groene boekje!

Voorkeurspelling wordt de regel

In het Groene boekje van 1954 stonden ongeveer 12.000 woorden die een voorkeurspelling en een toegelaten spelling hadden.

Wat waren de voornaamste verschillen?

	voorkeurspelling	toegelaten spelling
c of k:	correct	korrekt
cc of ks:	accijns	aksijns
qu of kw:	quotiënt	kwotiënt
s of z:	organiseren	organizeren
th of t:	thee	tee
x of ks:	examen	eksamen

De nieuwe spelling neemt in de meeste gevallen de voorkeurspelling van 1954 over. Voor een beperkt aantal woorden werd de voorkeurspelling niet gevolgd.

De 39 woorden die de voorkeurspelling niet volgen:

Voorkeurspelling 1954	Nieuwe spelling
antikrist	antichrist
catheter	katheter
croquet	kroket
dioxyde	dioxide
elektrokuteren	elektrocuteren
elektrokutie	elektrocutie
emfaze	emfase
fotocopie	fotokopie
fotocopiëren	fotokopiëren
harmonika	harmonica
insekt	insect
komplot	complot
komplotteren	complotteren
korpus	corpus
kwaker	quaker
lambrizeren	lambriseren
lambrizering	lambrisering
macrocosmos	macrokosmos
mediaevist	mediëvist
microcosmos	microkosmos
oxydatie	oxidatie
oxyde	oxide

oxyderen	oxideren
prae	pre
praeses	preses
prakkizeren	prakkiseren
praktizeren	praktiseren
predikatief	predicatief
produkt	product
produktie	productie
produktief	productief
produktiviteit	productiviteit
propaedeuse	propedeuse
propaedeutisch	propedeutisch
publikatie	publicatie
quantum	kwantum
vredestractaat	vredestraktaat
vulcanisatie	vulkanisatie
vulcaniseren	vulkaniseren

Opgelet!
• *het* croquet *(balspel) maar de* kroket *(etenswaar)*

OEFENING 1

Onderlijn de fouten.
Pas de nieuwe spelling toe.

a. Insekten achter de lambrizering zijn een ware plaag.

b. Door een fout in de productie oxydeerde de harmonika.

c. De hoogleraar las de vragen van het propaedeutische examen voor.

d. Hij vermoedde een complot en vroeg daarom een fotocopie van het vredestractaat.

e. De croquetspeler lust wel een croquet.

f. De praeses van de studentenvereniging is een praktizerend katholiek.

g. Het nieuwe produkt werd snel uit de handel genomen toen bleek dat het gevaar voor elektrokutie groot was.

h. Tijdens zijn lezingen sprak de mediaevist met emfaze over de schoonheid van de miniaturen.

i. De produktiviteit in het bedrijf waar autobanden worden gevulkaniseerd ligt erg laag.

OEFENING 2

Onderlijn het woord dat juist is gespeld.
Test uw kennis van de nieuwe spelling.

a. acoestiek
b. acoustiek
c. akoestiek
d. akoustiek

a. cirkulaire
b. circulaire
c. circuleire
d. sirkuleire

a. consekwentie
b. konsekwentie
c. consequentie
d. konsequentie

a. cadeau
b. cado
c. kadeau
d. kado

a. communicatie
b. kommunikatie
c. kommunikasie
d. communikatie

a. dokumentasie
b. dokumentatie
c. documentasie
d. documentatie

a. cosmopolities
b. cosmopolitisch
c. kosmopolities
d. kosmopolitisch

a. coalitieakkoord
b. coalitieaccoord
c. coalitie-akkoord
d. coalitie-accoord

a. Kerstvakantie
b. kerstvakantie
c. Kerstvacantie
d. kerstvacantie

a. localiseren
b. localizeren
c. lokaliseren
d. lokalizeren

a. hypotecair
b. hypotekair
c. hypothecair
d. hyppothecair

a. quoteringssysteem
b. kwoteringsysteem
c. kwoteringssysteem
d. quoteringsysteem

a. adjunkt-kommissaris
b. adjunct-commisaris
c. adjunct-commissaris
d. adjunct-comisaris

a. certificatie
b. certifikatie
c. sertifikasie
d. certifficatie

a. cosmetika
b. kosmetika
c. cosmethica
d. cosmetica

a. apotekersexamen
b. apotheker-examen
c. apothekerexamen
d. apothekersexamen

a. reduktie-kaart
b. reduktiekaart
c. reductiekaart
d. reductie-kaart

a. catalysator
b. katalyzator
c. katalysator
d. cathalysator

OEFENING 3

Juist of fout gespeld?

Test uw kennis van de nieuwe spelling. Schrijf achter elk woord of het juist of fout is gespeld.

a. aksijns	....	i. produktief	....
b. bibliothecaris	....	j. spectaculair	....
c. kalorie	....	k. clavecimbel	....
d. katalogus	....	l. eskimo	....
e. circus	....	m. kolonel	....
f. complot	....	n. cosmos	....
g. konsumptie	....	o. chauffeur	....
h. thee	....	p. café's	....

De criticus geeft kritiek: c of k?

Voor Nederlandse woorden is er geen probleem: we schrijven een -k- als we een -k- horen. Moeilijker is het bij bastaardwoorden en vreemde woorden: soms schrijven we een -c- als we een -k- horen.

> Bastaardwoorden zijn woorden uit andere talen die aan het Nederlands zijn aangepast.
> *activiteit (Frans: activité), cultuur (Frans: culture),*
> *kolonel (Frans: colonel, Italiaans: colonello)*
> Vreemde woorden hebben we zonder aanpassing uit andere talen overgenomen.
> *acteur (uit het Frans), casino (uit het Italiaans), vaccin (uit het Frans)*

Echte regels voor de spelling van bastaardwoorden en vreemde woorden zijn er niet. Gelukkig zijn er wel een aantal vuistregels omdat in de nieuwe spelling zoveel mogelijk de regel van de overeenkomst wordt gevolgd.

Het is *catalogus* en daarom schrijven we *catalogeren*. Het is *Mexico*, daarom schrijven we *Mexicaans*.

VUISTREGELS

Met een -c-
1. Woorden die eindigen op -ect:
   architect, correct, dialect, insect (<u>uitzondering</u>: sekt)

2. Woorden die eindigen op -uct:
   product, viaduct

3. Woorden die eindigen op -ctief:
   actief, collectief, productief

4. Woorden die eindigen op -catie, -caris, -catief:
   locatie, publicatie, bibliothecaris, educatief

5. Woorden die beginnen met oct-:
   octaaf, octopus (<u>uitzondering</u>: oktober)

Met een -k-
Woorden die beginnen met elektr-:
   elektriciteit, elektronisch

Opgelet!
- akkoord, <u>maar</u>: accorderen
- catalogus, catamaran, catastrofe, <u>maar</u>: katafalk, katalysator, katapult,...
- klimatiseren, <u>maar</u>: acclimatiseren
- kordon, <u>maar</u>: cordon bleu
- kritiek, kritisch, kritiseren, krimi, <u>maar</u>: criticus, criticaster, crimineel
- spektakel, <u>maar</u>: spectaculair
- trukeren, trukendoos, <u>maar</u>: truc, trucage
- vacant, vacatie, vacature, <u>maar</u>: vakantie

OEFENING 4

Schrijf naast elk woord welke vuistregel wordt toegepast.

direct ....   dialect ....

elektronisch ....   octaan ....

oktober ....   correct ....

viaduct ....

educatief ....

actief ....

insect ....

octupus ....

project ....

implicatie ....

elektron ....

fictief ....

aquaduct ....

OEFENING 5

Vul in met c of k.
Pas de vuistregels en de regel van de overeenkomst toe.

o......trooi   va......antie   o......tet

produ......tie   aspe......t   sele......tief

dire......t   ele......trode   corre......tie

Mexi......aans   ......atastrofaal   ele......trocuteren

ele......tronica   tru......age   pra......tiseren

publi......atie   colle......tiviteit   ......rimineel

archite......t   ......riticus   communi......atief

constru......tief   ......atalysator   viadu......t

defe......t   fi......tie   instin......tief

......atapult   convo......atie   ......asino

kwalifi......atie   ele......tro   ......limatiseren

OEFENING 6

Onderlijn het woord dat juist is gespeld.
Pas de vuistregels en de regel van de overeenkomst toe. Let op de uitzonderingen!

a. crimineel   a. catalogeren   a. elektronica
b. krimineel   b. katalogeren   b. electronica

a. harmonika   a. indikatie   a. informatika
b. harmonica   b. indicatie   b. informatica

a. vacaturestop   a. crimi   a. kwalifikatie
b. vakaturestop   b. krimi   b. kwalificatie

12

a. viskroket
b. viscroquet

a. kroketspeler
b. croquetspeler

a. zinkoxide
b. zinkoxyde

a. productiviteit
b. produktiviteit

a. induktie
b. inductie

a. critiek
b. kritiek

a. collecte
b. kollekte

a. publicatie
b. publikatie

a. copie
b. kopie

a. catalysator
b. katalysator

a. selektiviteit
b. selectiviteit

a. verificatie
b. verifikatie

a. insekticide
b. insecticide

a. catamaran
b. katamaran

a. respekt
b. respect

a. locatie
b. lokatie

a. viaduct
b. viadukt

a. verruct
b. verrukt

a. object
b. objekt

a. truukje
b. trucje

a. duplicatie
b. duplikatie

a. spektakulair
b. spectaculair

a. cosmopoliet
b. kosmopoliet

a. identificatie
b. identifikatie

a. architektuur
b. architectuur

a. Mexicaans
b. Mexikaans

a. catapult
b. katapult

a. fiktief
b. fictief

a. selectie
b. selektie

a. kordon
b. cordon

a. complot
b. komplot

a. spekulatief
b. speculatief

a. conducteur
b. kondukteur

a. oktrooi
b. octrooi

a. prefekt
b. prefect

a. effectief
b. effektief

a. edukatie
b. educatie

a. kopieermachine
b. copieermachine

a. catafalk
b. katafalk

a. Congolees
b. Kongolees

a. secte
b. sekte

a. electromagnetisch
b. elektromagnetisch

a. attraktief
b. attractief

a. octrooi
b. oktrooi

a. dialekt
b. dialect

VEELGEBRUIKTE WOORDEN

Met een -c-

acacia
academie
accijns
accolade
accommodatie
accordeon
accorderen
   (maar: *akkoord*)
accountant
accrediteren
acne
acrobaat
acryl
acteur
actief
actrice
actueel
acuut
adjunct
alcohol
aquaduct
architect
articuleren
attractie
aspect
bacon
bacterie
bibliothecaris
bioscoop
bonificatie
brancard
cabaret
cabine
cabriolet
cacao
cachet
cachot
cactus
cadans
caddie
cadeau
cadet
café
cafeïne

cafetaria
caissière
cake
calorie
calvados
camelia
camembert
camera
camion
camoufleren
camping
canapé
caoutchouc
capaciteit
cape
capsule
carambole
caravan
carburator
cargo
cariës
carnaval
carpool
carrière
carrosserie
carrousel
cartoon
casino
cassatie
cassette
castraat
castreren
catacombe
catalogus
catamaran
catastrofe
catechese
catechismus
categorie
cavalerie
ceramiek
   (ook: *keramiek*)
certificaat
chic

chocolade
circa
circuit
circulaire
circus
clan
clandestien
classificatie
clausule
claxon
clerus
   (maar: *klerikaal*)
cliché
cliënt
climax
clip
clochard
closet
clown
club
coach
coalitie
cobra
cocaïne
cockpit
cocktail
cocon
code
cognac
coiffeur
coïtus
coke
colbert
collaboratie
collage
collectie
collectief
collega
college
colonne
combinatie
combineren
comfort
comité

14

commandant
commentaar
commercieel
commissaris
commissie
communicatie
communiceren
communie
compagnie
compatibel
compenseren
competitie
compleet
complex
compliment
complot
complotteren
component
componist
compote
compressie
compromis
computer
concentratie
concept
concern
concert
concessie
conciërge
concipiëren
conclaaf
conclusie
concreet
concurrentie
condenseren
conditie
condoom
conducteur
confectie
conferentie
confetti
configuratie
confirmeren
confituur
conflict
conform
confrontatie
congé

conglomeraat
congres
conjunctuur
connectie
consensus
consequentie
conservatief
conserveren
consolidatie
constant
constructie
consultatie
consument
consumptie
contact
container
contant
contesteren

continent
contingent
continuïteit
contra
contract
contrast
controle
conversatie
coöperatief
coördinatie
coördineren
cordon bleu
corpulent
corps (bijvoorbeeld:
   studentencorps)
corpus
correct
correctioneel

15

correspondent
corrigeren
corrupt
corvee
cosmetica
coup (*staatsgreep*)
coupe (*ijs*)
coupé
couture
cover
cowboy
creatie
crèche
crème
crediteren
crediteur
credo
creatie
creëren
crematorium
crêpe
creperen
crimineel
  (<u>maar</u>: *krimi*)
crisis
criticus (<u>maar</u>: *kritiek*)
criticaster
croquet (het) (*balspel*)
  (de kroket: *etenswaar*)
cross
cruise
culinair
cultuur
cumul
curatele
curator
cursief
cursus
curve
declareren
decor
defect
dialect
dictator
dictee
direct
directie
discriminatie
doctor (<u>maar</u>: *dokter*)

document
ecologisch
economie
educatief
effect
electoraal
escort
evocatie
fabricage
  (<u>maar</u>: *fabrikant*)
factor
factuur
facultatief
ficus
fiscaal
fiscus
focus
functie
gynaecoloog
harmonica
hypothecair
icoon
implicatie
inclusief
indicatie
infarct
infectie
informatica
insect
inspecteren
intact
laconiek
lectuur
locatie
  (<u>maar</u>: *lokaliseren*)
locomotief
logica
macaber
macadam
macaroni
mascara
mecanicien
mechanica
mica
microfoon
molecule
narcose
nectar
nicotine

nucleair
object
octaaf
octopus
octrooi
pedicure
prefect
product
project
protocol
provocatie
publicatie
radicaal
reclame
record
rector
recreatie
redactie
respect
risico
sacrament
sanctie
sarcasme
scalp
scandaleus
scout
sec
seconde
secundair
secretaris
sectie (<u>maar</u>: *sekt*)
sector
selectie
spectaculair
  (<u>maar</u>: *spektakel*)
speculaas
speculeren
structuur
tact
tactiek
tractor
traject
tricot
truc (<u>maar</u>: *trukeren*)
vacant (<u>maar</u>: *vakantie*)
verticaal
viaduct
vicaris
vocaal

Met een -k-

akkoord
  (maar: *accorderen*)
akoestiek
anekdote
choke
cirkel
dokter (maar: *doctor*)
elektricien
elektriciteit
elektrocuteren
elektrode
elektronica
elektronisch
eskadron
eskimo
fotokopie
frikadel
helikopter
hypothekeren
kabinet
kadaster
kadaver
kadee
kaduuk
kajak
kaki
kakofonie
kalender
kaliber
kalibreren
kalligrafie
kamikaze
kamille
kanarie
kandidaat
kannibaal
kantine
kanton
kapsones
karabijn
karaf
karamel
karate
karateka
karbonade
kardinaal
karikatuur
karma
karton
kassa
katafalk
katalysator

katapult
katheder
kathedraal
katheter
katholiek
kazemat
kerosine
ketchup
kidnappen
kilo
kinesist
kinesitherapeut
kinine
kitchenette
kitsch
klasseren
klassiek
klavecimbel
klerikaal (maar: *clerus*)
kliniek
koala
kobalt
koeioneren
kohier
koket
kokosnoot
kolibrie
kolom
kolonel
kolonie
kolos
kombuis
komedie
komeet
komfoor
komiek
komisch
komma
kompaan
kompas
kompres
konfijten
Kongo
konterfeiten
konvooi
kopie
kopiëren
koraal
koran
kordaat
kordon
  (maar: *cordon bleu*)

koriander
kornet
kornuit
korporaal
korps
korset
kosmetisch
kosmonaut
kosmopolitisch
kosmos
kostumeren
kostuum
kotelet
krediet
krimi (maar: *crimineel*)
kritiek (maar: *criticus*)
kritisch
kritiseren
kroep
kroepoek
krokant
kroket (de) (*etenswaar*)
  (het croquet: *balspel*)
krokus
kubisme
kungfu
kursaal
lokaliseren
  (maar: *locatie*)
macrokosmos
microkosmos
oktober
praktijk
praktisch
praktiseren
predikaat
rekruut
riskeren
seks
sekt (maar: *sectie*)
sekte
spektakel
  (maar: *spectaculair*)
stockeren
ticket
traktaat
traktatie
trukendoos (maar: *truc*)
trukeren
vakantie (maar: *vacant*)
vulkanisatie
vulkaniseren

OEFENING 7

Onderlijn het fout gespelde woord en verbeter het.

De lakonieke kritiek van de criticus klonk sarcastisch. ....

De adjunkt-directeur is een corpulente man. ....

De architekt ontwierp een kaduke containerconstructie. ....

De korrespondent nam een fotokopie van het document. ....

De docter verwijst de mecanicien naar de kinesist. ....

De aktrice speelt een caissière in een cafetaria. ....

De coach is ook sekretaris van de club. ....

De consumptie van chocolade stijgt spektaculair. ....

De akteur draagt een confectiepak, de doctor een kostuum. ....

De gynaecoloog zoekt een lokatie voor zijn kliniek. ....

De clown woont in een caravan van het circus. ....

De commissaris volgt een kursus communicatie. ....

De kliënt vroeg een hypothecaire lening. ....

De conducteur inspecteert de lokomotief. ....

De bibliothecaris besprak de conferentie met zijn kollega. ....

De componist geeft een clavecimbelconcert. ....

De krimineel kidnapte de kardinaal in de kathedraal. ....

De helikopter landde in het midden van de circel. ....

De colonel eet een cordon bleu, de rekruut een kotelet. ....

De radikalen smeden een complot tegen de dictator. ....

De clown speelt accordeon in de cirkustent.   ....

De culinaire cultuur van cannibalen is ondermaats.   ....

De commissaris vraagt een hypothekair krediet.   ....

De korporaal maakt in zijn kitchenette een coctail.   ....

Tijdens de vacantie dronken ze cafeïnevrije koffie.   ....

De acrobaat zat bij de actrice op de kanapé.   ....

De kosmopoliet is verliefd op de kaissière van kassa twee.   ....

De korporaal kon de juiste locatie niet localiseren.   ....

Hij sloot een contract voor de productie van katchoe.   ....

Nicotine verhoogt het risico op een infarkt.   ....

De coach wordt een gebrek aan takt verweten.   ....

De corrupte korrespondent kreeg een correctionele straf.   ....

De informaticus konfigureert zijn computer.   ....

De zieke werd per helicopter vervoerd naar de kliniek.   ....

De kok kreeg een kompliment voor zijn chocoladecake.   ....

De accountant sloot een akkoord met de fiskus.   ....

De conciërge kontroleert het dokterkabinct.   ....

Een nucleair defect is een ekologische catastrofe.   ....

De katalysator is intakt, maar de motor draait kaduuk.   ....

De cowboy drinkt klandestien gestookte alcohol.   ....

De konservatief is consequent in zijn kritiek.   ....

De directie verstuurt een circulaire over het projekt.   ....

De context van de tekst: ks, x of cc?

Bastaardwoorden en vreemde woorden met de klank -ks- worden soms met ks, soms met x en soms met cc geschreven. Een gouden raad: zoek bij twijfel de juiste schrijfwijze op in het Groene boekje.

VUISTREGELS

Met een -x-
Woorden die beginnen met ex-:
examen, exemplaar, expert (<u>uitzondering</u>: *ekster*)

Met -ks-
Woorden met seks:
sekse, uniseks (<u>uitzonderingen</u>: *sex-appeal, sext, sextant, sextet, sexy*)

Met -cc-
Woorden die beginnen met acc- (uitgesproken als aks):
accent, accepteren, accident, accijns (<u>uitzonderingen</u>: *aks, axioma, axiaal*)

Opgelet!
- excellentie, excentriek, exces, excuus
- fax, <u>maar</u>: facsimile

OEFENING 8

Vul in met x, ks of cc.

te.....tiel	fa.....en	la.....
e.....amen	a.....ident	e.....port
se.....tant	e.....periment	va.....in
clima.....	ta..... ..	e.....plosie
e.....pres	o.....identaal	fle.....ibel
a.....epteren	se.....shop	conte.....t

Kwadraat en quotiënt: kw of qu?

Sommige woorden waarin we kw (of k) zeggen, schrijven we met qu. Een aantal vuistregels helpt ons al een heel eind op weg.

Met -qu-

1. Als we kw of k kunnen zeggen, schrijven we altijd qu:
   antiquiteit, equilibrist, equivalent, quotiënt, quiz (<u>uitzondering</u>: *rekest/rekwest*)

2. Als we alleen k zeggen, hebben vreemde woorden gemakkelijker qu:
   cheque, chique, maquette, quarantaine, quiche, quitte, <u>maar</u>: *checken, diskette*

Opgelet!

- Die hoed staat *chic*, <u>maar</u>: een *chique* hoed.
- *croquet* (balspel) en *kroket* (etenswaar).
- *etiket* (strookje papier) en *etiquette* (omgangsvorm).
- requisit*oir*/rekwisit*oor*.

VEELGEBRUIKTE WOORDEN

Met -qu-

acquisitie
adequaat
antiquaar
antiquariaat
antiquiteit
aquaduct
aquaplanning
aquarel
aquarium
attaque
cheque
consequent
delinquent
epoque

equator
equilibrist
equipe
equivalent
frequent
liquideren
maquette
quaestor
quaker
quarantaine
quartair
quasi
quatsch
queue

querulant
quiche
quitte
qui-vive
quota
quote
quotiënt
quotisatie
quotiteit
quotum
quiz
requisitoir
squash

Met -kw-

diskwalificeren
kwadraat
kwaker *(schreeuwer; dwergeendje)*
kwalificatie
kwaliteit
kwantiteit

kwantum
kwart
kwartet
kwarto
kwarts
kwestie
kwibus

kwint
kwitantie
rekwest
rekwisitie
rekwisitoor
relikwie
sekwester

OEFENING 9

Onderlijn het juist gespelde woord.

a. equipe
b. ekuipe

a. antiquariaat
b. antikwariaat

a. eurocheck
b. eurocheque

a. sequester
b. sekwester

a. quantumsprong
b. kwantumsprong

a. quiche
b. kiche

a. kwota
b. quota

a. kwartssteen
b. quartssteen

a. jazzkwartet
b. jazzquartet

a. kwalificatieronde
b. qualificatieronde

a. acquisitie
b. akkwisitie

a. questor
b. quaestor

De atleet drinkt thee: t of th?

Voor wie tot nu toe de toegelaten spelling gebruikte, wordt het wennen aan de th in sommige woorden.

VUISTREGELS

Met -th-

1. Alle -theken en iedereen die er werkt:
apotheek, apotheker, bibliotheek, bibliothecaris, discotheek, videotheek

2. Woorden die eindigen op -pathie (of -pathisch, -pathiek):
empathie, homeopathisch, sympathiek, <u>maar</u>: *homeopaten, psychopaten*

Zonder -th-

1. Geen th voor een medeklinker:
antraciet, astma, atleet, ritme (<u>uitzondering</u>: *thriller*)

2. Geen th na ch of f:
autochtoon, nochtans, diftong

3. Geen th aan het einde van een woord:
chrysant, labyrint, monoliet (<u>uitzonderingen</u>: eigennamen: *goliath*)

VEELGEBRUIKTE WOORDEN

althans	kathedraal	theorie
anesthesie	kathode	therapie
apotheker	katholiek	thermaal
atheneum	litho	thermiek
authentiek	luthers	thermometer
bibliotheek	mathematicus	thermosfles
bibliothecaris	methode	thesaurie
discotheek	pathetisch	thesis
enthousiasme	pathologie	thinner
esthetiek	python	thriller
ether	thans	thuis
ethiek	theater	stethoscoop
euthanasie	thee	sympathiek
homeopathie	thema	synthese
hypotheek	theologie	videotheek

OEFENING 10

Vul in met t of th.

noch......ans	ka......edraal	ca......acomben
......erapie	ca......echismus	en......ousiasme
psychopa......en	me......ode	......ans
al......ans	e......ymologie	as......ma
dië......ist	au......entiek	ri......me
hypo......eek	......ermosfles	labyrin......
ma......uriteit	fan......asie	......riller
pa......etisch	sympa......ie	autoch......oon
ta......oeage	li......ografie	......eoreticus
apo......eker	es......eticus	homeopa......ie

HERHALINGSOEFENING 1

Vul de zin aan met het juiste woord.

De bankbediende checkt of die .... gedekt is.
  a. check   b. cheque   c. checque

Op de .... is de indeling van het nieuwe station te zien.
  a. makette   b. macquette   c. maquette

Als hij de rekening betaalt, krijgt hij een ....
  a. kwitantie   b. quitantie   c. kwittantie

Hij verkreeg een monopolie door de .... van zijn concurrent.
  a. akwisitie   b. akkwisitie   c. acquisitie

De barones draagt een .... mantelpak.
  a. chic   b. chique   c. chiek

Alles wat de dief zegt is gelogen, maar hij is wel ....
  a. konsekwent   b. consequent   c. konsequent

De ploeg .... zich door een doelpunt in de laatste minuut.
  a. kwalificeerde   b. qualificeerde   c. kwalifiseerde

De jongste deelneemster aan de .... behaalde de eerste prijs.
  a. quiz   b. quis   c. kwis

De uitstekende harpiste speelt in een ....
  a. quartet   b. quartette   c. kwartet

De handelaar moet zijn voorraad .... voor hij kan verhuizen.
  a. likwideren   b. liquideren   c. licquideren

De .... drinkt graag een glaasje wijn bij het lezen van een boek.
  a. bibliothecaris   b. bibliotecaris   c. bibliotekaris

De .... werd op heterdaad betrapt bij het plegen van delicten.
  a. deliquent   b. delinkwent   c. delinquent

De .... kunstenaar was een eenzaat.
  a. exentrieke   b. excentrieke   c. eksentrieke

HERHALINGSOEFENING 2

Onderlijn het juist gespelde woord.

a. cosmos
b. kosmos

a. terapie
b. therapie

a. cosmetica
b. kosmetica

a. althans
b. altans

a. karamel
b. caramel

a. larix
b. lariks

a. defect
b. defekt

a. sextant
b. sekstant

a. frekwent
b. frequent

a. truceren
b. trukeren

a. chrysant
b. crysanth

a. taks
b. tax

a. sex
b. seks

a. klichee
b. cliché

a. authentiek
b. autentiek

a. quotum
b. kwotum

a. thesis
b. tesis

a. cabaret
b. kabaret

a. katoliek
b. katholiek

a. publicatie
b. publikatie

a. prefekt
b. prefect

a. kondukteur
b. conducteur

a. credo
b. kredo

a. aquarel
b. akwarel

a. kantine
b. cantine

a. lito
b. litho

a. vacantie
b. vakantie

a. aspect
b. aspekt

a. relikwie
b. reliquie

a. labyrinth
b. labyrint

a. hypotheek
b. hypoteek

a. adequaat
b. adekwaat

a. bakterie
b. bacterie

a. oktopus
b. octopus

a. climax
b. klimaks

a. klavecimbel
b. clavecimbel

a. kapucijn
b. capucijn

a. praktiseren
b. praktizeren

a. sanktie
b. sanctie

Reuzegrote reuzenstap: de tussen-n

De nieuwe regels voor de tussen-n in samenstellingen hebben voor heel wat opschudding gezorgd. Niet in de laatste plaats omdat ze soms tegen het taalgevoel ingaan. Tot nu toe schreven we *ruggemerg*. In de nieuwe spelling wordt het *ruggenmerg*. Dat wordt wennen. En veel oefenen!

> Een samenstelling is een woord dat door de verbinding van twee of meer, ook zelfstandig voorkomende woorden is gevormd.
> *binnen + schip = binnenschip*   *hoofd + straat = hoofdstraat*
> *moeder + taal = moedertaal*   *hoge + snelheid + trein = hogesnelheidstrein*

> U mag een samenstelling niet verwarren met een afleiding. Een afleiding is een woord dat gevormd wordt door een zelfstandig voorkomend woord en een of meer niet-zelfstandig voorkomende woorden.
> *heer + schap = heerschap*   *on + denk + baar = ondenkbaar*
> *woon + achtig = woonachtig*   *zorg + loos = zorgeloos*

De regels voor de tussenletter -n- gelden voor <u>samenstellingen</u> waarin tussen de delen een toonloze -e (zoals in d*e*) wordt gehoord. Er zijn twee regels. Die regels zijn dus niet van toepassing in volgende gevallen:

1. Het eerste deel van de samenstelling eindigt op -en:
   binnen → *binnendeur*
   gouden → *goudenregen*
   haven → *havenweg*
   keuken → *keukentrap*
   koren → *korenbloem*
   molen → *molensteen*
   reken → *rekenblad*
   wapen → *wapenfabriek*
   zeden → *zedenmeester*

2. Het eerste deel heeft de oude naamval -n:
   's anderendaags
   grotendeels
   meestendeels
   merendeel

REGELS

1. Schrijf een -n-

Het eerste deel van de samenstelling is een zelfstandig naamwoord dat uitsluitend een meervoud heeft op -(e)n:

bed → *bedden* → *beddengoed*   *bes* → *bessen* → *bessensap*
boek → *boeken* → *boekenprijs*   *krant* → *kranten* → *krantenartikel*
pan → *pannen* → *pannenkoek*   *rug* → *ruggen* → *ruggenmerg*

Pas deze regel ook toe in volgende gevallen.

a. Het eerste deel is een vrouwelijke nevenvorm met een toonloze -e achter het grondwoord:

agent → *agente* → *agentenuniformrok*
student → *studente* → *studentenkamer*

b. Het eerste deel is een zelfstandig naamwoord dat <u>niet</u> eindigt op een toonloze -e en een meervoud heeft op -en én -s:

ambtenaar → *ambtenaren/ambtenaars* → *ambtenarencentrale*
artikel → *artikelen/artikels* → *artikelenbundel*
leraar → *leraren/leraars* → *lerarenkorps*

Uitzonderingen

1. Het eerste deel is uniek:

Onze-Lieve-Vrouwetoren, zonneschijn

2. Het eerste deel heeft een versterkende of waardebepalende betekenis en het geheel is een bijvoeglijk naamwoord:

beregoed, boordevol, stekeblind

3. Het eerste deel is een dierennaam en het tweede deel een plantkundige aanduiding:

duivekervel, kattekruid, paardebloem

4. Het eerste deel is een lichaamsdeel en het geheel is een versteende samenstelling:

kakebeen, kinnebak, ruggespraak

5. Een van de delen is niet meer herkenbaar als afzonderlijk woord in de oorspronkelijke betekenis:

bolleboos, flierefluiter, klerelijer, schattebout

2. Schrijf geen -n-

a. Het eerste deel van de samenstelling is een zelfstandig naamwoord dat geen meervoud heeft:
> *tarwemeel, rijstepap*

b. Het eerste deel is een zelfstandig naamwoord dat alleen een meervoud op -s heeft:
> *asperge → asperges → aspergesoep*   *horloge → horloges → horlogemaker*

c. Het eerste deel is een zelfstandig naamwoord dat op een toonloze -e eindigt en een meervoud op -en én -s heeft:
> *bediende → bedienden/bediendes → bediendevakbond*
> *secretaresse → secretaressen/secretaresses → secretaressecongres*
> *weduwe → weduwen/weduwes → weduwepensioen*

d. Het eerste deel is een bijvoeglijk naamwoord:
> *armelui, blindedarm, goedemorgen, rodekool*

e. Het eerste deel is een werkwoord:
> *breken → brekebeen   dwingen → dwingeland   spinnen → spinnewiel*

Schrijf reuze-

a. Als het tweede deel heel erg, heel mooi, heel goed, enz. is:
> *reuzehonger, reuzekerel, reuzemop*

b. Als het tweede deel in zeer hoge mate geldt:
> *reuzeleuk, reuzegroot*

Schrijf reuzen-

Als het tweede deel zeer groot in zijn soort is:
> *reuzengroei, reuzenuil, reuzenwerk*

Schrijf klote-

Als het tweede deel vervelend, slecht of onaangenaam is:
> *klotebaantje, kloteweer*

OEFENING 11

Onderlijn het juist gespelde woord en schrijf op waarom.

aangiftebiljet	aangiftenbiljet	....
apenootje	apennootje	....
apetrots	apentrots	....
benzinegeur	benzinengeur	....
beresterk	berensterk	....
beukenootje	beukennootje	....
bordewasser	bordenwasser	....
bruggehoofd	bruggenhoofd	....
dovenetel	dovennetel	....
ebbehout	ebbenhout	....
eikeboom	eikenboom	....
ladekast	ladenkast	....
galgemaal	galgenmaal	....
garnaleplant	garnalenplant	....
gedachtegang	gedachtengang	....
geitekaas	geitenkaas	....
gildemeester	gildenmeester	....
hanekam	hanenkam	....
hartewens	hartenwens	....
helleveeg	hellenveeg	....

hoedemaker	hoedenmaker	....
hondeweer	hondenweer	....
kamillethee	kamillenthee	....
kattekop	kattenkop	....
keuzevrijheid	keuzenvrijheid	....
kippehok	kippenhok	....
knikkebollen	knikkenbollen	....
kosteloos	kostenloos	....
krieketaart	kriekentaart	....
ledemaat	ledenmaat	....
luizebaan	luizenbaan	....
nachtegaal	nachtengaal	....
paardevijg	paardenvijg	....
paddegif	paddengif	....
pokkeweer	pokkenweer	....
reuzepas	reuzenpas	....
roggemeel	roggenmeel	....
ruggespraak	ruggenspraak	....
sardieneblikje	sardienenblikje	....
sledehond	sledenhond	....
strottehoofd	strottenhoofd	....
waardeschaal	waardenschaal	....
zonnesteek	zonnensteek	....

OEFENING 12

Vul in met de juiste samenstelling.

De .... van de directeur was leeg.　　　*akte(n)tas*

In Gibraltar bezochten ze de ....　　　*ape(n)rots*

Glij niet uit over die ....　　　*banane(n)schil*

Die plant heet ....　　　*bere(n)klauw*

In de tuin staat een ....　　　*beuke(n)boom*

Dat kind is zo slim, het is een echte ....　　　*bolle(n)boos*

De .... doet fluitend zijn ronde.　　　*brieve(n)besteller*

De smokkelaar werkte in het ....　　　*douane(n)kantoor*

De kinderen verkleden zich voor het ....　　　*driekoninge(n)feest*

Na het schaatsen aten ze stevige ....　　　*erwte(n)soep*

In de wei groeide ....　　　*fluite(n)kruid*

Hij bestudeerde de .... van de rivier.　　　*getijde(n)werking*

De .... had opmerkelijke bloemkooloren.　　　*groente(n)man*

Haar .....:... werd door niemand gehoord.　　　*harte(n)kreet*

In loopwedstrijden is hij steevast de ....　　　*hekke(n)sluiter*

De .... liep dagelijks over zijn landerijen.　　　*here(n)boer*

De herdershond lag te slapen in het ....　　　*honde(n)hok*

De rijzige atleet won de .... op zijn slofjes.　　　*horde(n)loop*

Hij kreeg een mep op zijn ....　　　*kinne(n)bak*

De kamer van de puber was een echte ....　　　*klere(n)zooi*

Hij kalkte in .... slogans op de muur. *koeie(n)letters*

Nu is hij kaal, maar vroeger had hij een mooie .... *krulle(n)bol*

Het .... van zijn inkomen besteedt hij aan drank. *leeuwe(n)deel*

Zij maakten een romantische wandeling in de .... *mane(n)schijn*

Tussen de champignons zat één giftige .... *padde(n)stoel*

Hij vertelde een .... *reuze(n)mop*

De kat snuffelde aan het .... *sardine(n)blikje*

Hij noemde alle vrouwen .... *schatte(n)bout*

Na het ongeluk eiste hij een hoog .... *smarte(n)geld*

De luie leraar had al een jaar .... *ziekte(n)verlof*

Het oude mannetje was een echte .... *ziele(n)poot*

Maak zelf een samenstelling met de opgegeven woorden.

Schrijf bij elke samenstelling welke regel van toepassing is.

aalbes + confituur = ... *regel:* ....

aap + trots = ... *regel:* ....

aarde + werk = ... *regel:* ....

bal + jongen = ... *regel:* ....

bij + honing = ... *regel:* ....

boete + kleed = ... *regel:* ....

cent + kwestie = ... *regel:* ....

collecte + bus = ... *regel:* ....

draak + doder = ... *regel:* ....

eer + medaille = ... *regel:* ....

gans + lever = ... *regel:* ....

gedachte + sprong = ... *regel:* ....

gerst + nat = ... *regel:* ....

haai + vin + soep = ... *regel:* ....

handelaar + vereniging = ... *regel:* ....

hel + veeg = ... *regel:* ....

kar + wiel = ... *regel:* ....

kastanje + boom = ... *regel:* ....

kat + kruid = ... *regel:* ....

koe + melk = ... *regel:* ....

krant + verkoper = ... *regel:* ....

lawine + gevaar = ... *regel:* ....

leek + broeder = ... *regel:* ....

linnen + goed = ... *regel:* ....

meer + deel = ... *regel:* ....

nuance + verschil = ... *regel:* ....

os + staart = ... *regel:* ....

papegaai + bek = ... *regel:* ....

peer + sap = ... *regel:* ....

prinses + boon = ... *regel:* ....

rijst + brij = ... *regel:* ....

rogge + brood= .... *regel:* ....

route + beschrijving = ... *regel:* ....

schade + claim = ... *regel:* ....

seconde + lijm = ... *regel:* ....

snoes + poes = ... *regel:* ....

strot + hoofd = ... *regel:* ....

vlieg + zwam = ... *regel:* ....

vreugde + vuur = ... *regel:* ....

waarde + papier = ... *regel:* ....

weide + vogel = ... *regel:* ....

zon + brand = ... *regel:* ....

zonde + besef = ... *regel:* ....

Spelling(s)hervorming: de tussen-s

De regels voor de tussenletter -s- laten veel ruimte aan het persoonlijke taalgebruik. Zowel *spellinghervorming* als *spellingshervorming* is goed. Dat komt omdat sommigen de -s- uitspreken en anderen niet.

Toch zijn er een aantal regels.

REGELS

1. Schrijf een -s- in samenstellingen waarvan het eerste deel als afzonderlijk woord niet op een sisklank eindigt en het tweede deel niet met een sisklank begint, maar tussen de twee delen wel een s wordt gehoord.
   arbeidsmarkt, landstaal, meningsverschil, stadsdeel

2. Schrijf een -s- in samenstellingen waarvan het tweede deel met een sisklank begint, als de aanwezigheid van de tussen-s blijkt uit een samentrekking.
   damesschoen <u>want</u>: *dames- en herenschoenen*
   dorpsstraat <u>want</u>: *dorps- en stadsstraten*
   meisjesstem <u>want</u>: *meisjes- en jongensstemmen*
   rijkeluiszoontje <u>want</u>: *rijkeluiskind of -zoontje*

TIPS

1. Blijf consequent. Schrijf niet *drugsgebruiker* naast *drugbeleid*.

2. Soms lukt de regel van de samentrekking niet zo best, je kan ook de regel van de analogie toepassen.
   bedrijfsleider ➜ *bedrijfssector*
   dorpsplein ➜ *dorpsstraat*
   stadsdeel ➜ *stadscentrum*, <u>maar</u>: *stadhuis, stadhouder, stadstaat*
   stationsgebouw ➜ *stationschef*

Opgelet!

- Bij sommige samenstellingen kan zowel een tussen-s als geen tussen-s, maar hebben de twee vormen een andere betekenis.

  beheerssysteem: een systeem om iets te beheersen.
  beheersysteem: een systeem om iets te beheren.

  waternood: een tekort aan water.
  watersnood: een teveel aan water.

VEELGEBRUIKTE WOORDEN MET EN ZONDER -S-

Dit zijn samenstellingen die zowel met als zonder een tussen-s geschreven mogen worden. Andere dan in de lijst opgenomen samenstellingen met de in vet gezette woorden, hebben slechts één toegelaten spelling.

dood → *doodsoorzaak*   *drug* → *drugsdode*

dood
dood(s)kist
dood(s)strijd
drug
drug(s)baron
drug(s)beleid
drug(s)bende
drug(s)bestrijding
drug(s)criminaliteit
drug(s)dealer
drug(s)gebruik(er)
drug(s)handel(aar)
drug(s)hond
drug(s)hulpverlening
drug(s)koerier
drug(s)maffia
drug(s)organisatie
drug(s)overlast
drug(s)pand
drug(s)probleem
drug(s)problematiek
drug(s)scene
drug(s)smokkel(aar)
drug(s)syndicaat
drug(s)toerisme
drug(s)transport
drug(s)verslaafde
drug(s)verslaving
drug(s)wereld
drug(s)winst
drug(s)zaak
geluid
geluid(s)arm
geluid(s)belasting
geluid(s)drager
geluid(s)hinder
geluid(s)mixer
geluid(s)montage
geluid(s)versterker
geluid(s)zone

geluid(s)werend
groep(s)taal
handel
handel(s)maatschappij
huid
huid(s)kleur
inkoop
inkoop(s)prijs
kapitaal
kapitaal(s)basis
kapitaal(s)belasting
kapitaal(s)injectie
kapitaal(s)intensief
kapitaal(s)investering
kapitaal(s)lasten
kapitaal(s)stroom
kapitaal(s)uitbreiding
kapitaal(s)vernietiging
leven
leven(s)standaard
liefde
liefde(s)betrekking
liefde(s)brief
liefde(s)drank
liefde(s)geschiedenis
liefde(s)leven
liefde(s)spel
liefde(s)verklaring
minister
minister(s)portefeuille
onderzoek
onderzoek(s)bureau
onderzoek(s)centrum
onderzoek(s)gegeven
onderzoek(s)groep
onderzoek(s)instelling
onderzoek(s)instituut
onderzoek(s)methode
onderzoek(s)plan
onderzoek(s)programma

onderzoek(s)schip
onderzoek(s)school
onderzoek(s)team
onderzoek(s)verslag
redding
redding(s)boei
redding(s)boot
redding(s)sloep
spelling
spelling(s)hervormer
spelling(s)hervorming
spellings(s)regel
tijd
tijd(s)bepaling
tijd(s)besparing
tijd(s)ruimte
tijd(s)spanne
tijd(s)verschijnsel
tijd(s)verschil
tijd(s)verspilling
verkoop
verkoop(s)prijs
verkoop(s)voorwaarde
vervoer
vervoer(s)bedrijf
vervoer(s)beleid
vervoer(s)bewijs
vervoer(s)infrastructuur
vervoers(s)maatschappij
vervoer(s)plan
vervoer(s)regio
vervoer(s)sector
vervoer(s)systeem
verzekering
verzekering(s)maatschappij
verzekering(s)nemer
voorbehoed
voorbehoed(s)middel
wet
wet(s)tekst

ENKELE LASTIGE WOORDEN

alleszins	fietsster	polsstok
anderszins	geenszins	uitzichtloos
auteurschap	halsstarrig	veelszins
enigszins	liefdesscène	woordvoerster

OEFENING 14

Maak zelf een samenstelling met de opgegeven woorden.
Zet de s tussen haakjes als de samenstelling zowel mét als zonder tussen-s mag.

apotheker + flesje = ...

belasting + controleur = ...

beroep + ziekte = ...

dood + bedreiging = ...

doping + test = ...

drug + store = ...

fabriek + sirene = ...

geluid + muur = ...

huid + kleur = ...

inkoop + prijs = ...

jongen + grap = ...

kapitaal + schaarste = ...

leiding + water = ...

leven + standaard = ...

liefde + brief = ...

loon + verhoging = ...

melk + chocolade = ...

najaar + zon = ...

onderzoek + bureau = ...

redding + ploeg = ...

schaap + herder = ...

staat + schuld = ...

spelling + regel = ...

stad + school = ...

tijd + duur = ...

verzekering + bedrag = ...

Maak een samenstelling met de opgegeven woorden, en vul de zin ermee aan.

geboorte + golf
Negen maanden na de stroomstoring was er een ....

gemeente + personeel
Er vindt alweer een staking van het .... plaats.

invloed + sfeer
Zuid-Amerika behoort tot de .... van de Verenigde Staten.

katte + belletje
De man liet een .... achter voor zijn vrouw.

kat + staart
Wilgenroosjes worden in de volksmond .... genoemd.

koopman + zoon
De .... kreeg een sportwagen van zijn pa.

lam + vlees
Op het menu stond een stoofschotel met ....

paard + bloemen
De vrek bracht een bosje .... voor de gastvrouw mee.

pensioen + bijdrage
De jongeman morde over de hoogte van zijn ....

rib + kast
De voetballer kreeg een gemene trap tegen zijn ....

veiligheid + speld
Een katoenen luier wordt gesloten met een ....

volk + schrijver
De critici keken minachtend neer op de ....

water + nood
Door de grote droogte kampen vele landbouwbedrijven met ....

Onderlijn de juist gespelde woorden.

Let op! Soms kunnen beide vormen: onderlijn dan de beide woorden.

a. bakkerroom
b. bakkersroom

a. doopnaam
b. doopsnaam

a. drugmisbruik
b. drugsmisbruik

a. garnalevisser
b. garnalenvisser

a. geluidhinder
b. geluidshinder

a. liefdeszanger
b. liefdezanger

a. liefdesbrief
b. liefdebrief

a. loonstoeslag
b. loontoeslag

a. paardedistel
b. paardendistel

a. paddestoel
b. paddenstoel

a. pannelap
b. pannenlap

a. raadheer
b. raadsheer

a. rattenvergif
b. rattevergif

a. reddingboei
b. reddingsboei

a. rozegeur
b. rozengeur

a. schoolschrift
b. schoolsschrift

a. sledehond
b. sledenhond

a. spellingwijziging
b. spellingswijziging

a. tijdbepaling
b. tijdsbepaling

a. tijdspanne
b. tijdsspanne

a. trendsetter
b. trendssetter

a. verkooporganisatie
b. verkoopsorganisatie

a. vervoercontract
b. vervoerscontract

a. zuiveringzout
b. zuiveringszout

a. zwanezang
b. zwanenzang

41

Woorden samenstellen

De regel voor het aaneenschrijven is simpel. Maar de vele speciale gevallen zorgen dikwijls voor problemen.
Probeer zelf maar: *open hart operatie, open hartoperatie, openhart operatie, open-hart-operatie, openhart-operatie, open-hartoperatie, openhartoperatie.*

REGEL

Samenstellingen worden aaneengeschreven. Deze regel heeft betrekking op werkwoorden, bijvoeglijke naamwoorden en zelfstandige naamwoorden.

aaneenschrijven	*bruinkool*	*brutobedrag*
ademhalen	*energiezuinig*	*hardemuntpolitiek*
lesgeven	*geelzucht*	*hogesnelheidstrein*
opzijschuiven	*leegloper*	*langetermijnrente*
tekeergaan	*leergierig*	*onroerendgoedmarkt*
tekortschieten	*potdoof*	*openhartoperatie*
tentoonstellen	*schoonschrift*	*tenlastelegging*

TIPS

1. Soms is het moeilijk te achterhalen of een combinatie van woorden een samenstelling is. Een samenstelling is een woordcombinatie waarvan de afzonderlijke delen als zelfstandig woord te gebruiken zijn. Maar is het *boodschappen doen* of *boodschappendoen*? Lees bij twijfel de woordcombinatie hardop, meestal is een duidelijk verschil te horen tussen dezelfde woordcombinaties. Probeer volgende voorbeelden.
   Dat echtpaar is een echt paar.
   Hij krijgt alles behalve een zoen. Dat is allesbehalve vriendelijk.

2. Alle getallen in combinatie met *maal* worden aaneengeschreven.
   tweemaal, twintigmaal, <u>maar</u>: *twee maal twee is vier*

3. Aanduidingen van hoeveelheid en tijd met *half* worden aaneengeschreven.
   halftwee, halfuur, anderhalf, tweeëneenhalf, <u>maar</u>: *half Europa*

4. Alle combinaties met *zelf* en *zelfde* worden aaneengeschreven, behalve als beide delen benadrukt worden.
   hijzelf, zichzelf, vanzelf, hetzelfde, eenzelfde, ditzelfde
   Hij vond van <u>zichzelf</u> *dat hij een goed voorkomen had.*
   Hij vond dat <u>hij zelf</u> *deze boodschap moest overbrengen.*

VEELVOORKOMENDE COMBINATIES

Hieronder geven we een lijstje van woordcombinaties die nu eens aaneen en dan weer met een spatie geschreven worden. In het lijstje nemen we de meest voorkomende schrijfwijze op.

alsook	naargelang	terzijde
alsnog	naarmate	<u>maar</u>: *ter zijde staan*
bij voorbaat	nogal	van tevoren
bijvoorbeeld	nog eens	veraf
dankzij	ofwel	veruit
des te meer	omwille	voorzover
eenieder	onder andere	weleens
enzovoort	onder meer	welterusten
et cetera	per se	zoal
evenmin	temeer	zoiets
in spe	terzake	zonder meer
inzake	terzelfder tijd	zowat

BETEKENISVERSCHIL

Soms hebben woorden, als ze aaneengeschreven zijn, een andere betekenis dan dezelfde woorden met een spatie. Enkele voorbeelden.

allesbehalve	Die norse man is allesbehalve vriendelijk.
alles behalve	Hij geeft hem alles behalve zijn auto.
evengoed	Hij is evengoed schuldig als zij.
even goed	Hij spreekt even goed als zij.
evenveel	Hij verdient evenveel als ik.
even veel	Hij verdient tweemaal meer dan ik. Is me dat even veel!
tekort	Het tekort op de begroting is groot.
te kort	Tegenover de snelle jongens komt hij nog veel te kort.
tenslotte	Je hebt er tenslotte voor gewerkt.
ten slotte	Ten slotte wil ik je nog zeggen dat je goed gewerkt hebt.
zojuist	De uitzending is zojuist begonnen.
zo juist	Kijkt u eens na of het zo juist is.

MOEILIJKE GEVALLEN

Woordcombinaties met voorzetsels leveren dikwijls grote problemen op.
> *Tramreizigers moeten <u>achter uitstappen</u>; als ze <u>achteruit stappen</u>, trappen zij misschien op andermans tenen.*

Een voorzetsel is een woord dat de betrekkingen aanduidt tussen twee zelfstandige naamwoorden in een zin of tussen een zelfstandig naamwoord en een werkwoord.
> *De vogel zit <u>in</u> de kooi.*   *De schoenen zijn <u>van</u> moeder.*
> *De weg loopt <u>langs</u> het kanaal.*   *Hij komt <u>voor</u> het avondeten.*

Een bijwoord is een woord dat een ander woord nader bepaalt.
> *Dat is <u>waarschijnlijk</u> het beste.*   *Hij heeft een <u>zeer</u> grote voorsprong.*

TIPS

1. Als een voorzetsel <u>niet</u> bij een ander woord hoort, wordt het verbonden met het voorafgaande voorzetsel of bijwoord.
> *Zij loopt <u>voorop</u>.*   *Zij loop <u>voor op</u> het tijdschema.*
> *Ik woon <u>vlakbij</u>.*   *Ik woon <u>vlak bij</u> mijn werk.*
> *Het zit <u>daarin</u>.*   *Het zit <u>daar in</u> de doos.*

2. Als een voorzetsel aan een werkwoord voorafgaat, wordt het met het werkwoord verbonden als het deel is van het werkwoord.
> *Hij moet zijn bureautafel <u>opruimen</u>.*
> *De politie moest <u>ingrijpen</u>.*
> *Kunt u de handleiding <u>bijvoegen</u>?*
> *Ik kan de beelden er niet <u>bij denken</u>. (bijdenken bestaat niet)*

3. Als een voorzetsel aan een werkwoord voorafgaat, moet het verbonden worden met het voorafgaande voorzetsel of bijwoord als het niet bij het werkwoord hoort.
> *Ik weet niet of het <u>erin</u> zit.*
> *<u>Waaruit</u> bestaat dat gerecht?*

4. Voorzetsels die niet bij een werkwoord of een ander woord behoren, worden gecombineerd met andere voorzetsels of bijwoorden.
> *Dat komt <u>erbovenop</u>.*
> *Zij is <u>ertussenuit</u> gegaan.*

Onderlijn het juist gespelde woord.

Jan verdient .... als Piet.   a. *even veel* b. *evenveel*

Hij heeft slechts een ....   a. *minimum inkomen*
                                                                          b. *minimuminkomen*

De leraar moest ....   a. *ingrijpen* b. *in grijpen*

Bestel ik voor jou .... ?   a. *hetzelfde* b. *het zelfde*

De chirurg voerde een .... uit.   a. *open hart-operatie*
                                                                          b. *openhartoperatie*

De film is .... begonnen.   a. *zojuist*   b. *zo juist*

De wasmachine is ....   a. *volautomatisch*
                                                                          b. *vol-automatisch*

De productie verhuisde naar de ....   a. *lagelonenlanden*
                                                                          b. *lage lonen-landen*

Zuidwest-Brabants: het streepje

Samenstellingen kunnen niet altijd aaneengeschreven worden. Maar gewoon een spatie laten, is evenmin een alternatief.

De exadjunctdirecteurgeneraal is privédetective in de doehetzelfzaak.

De ex adjunct directeur generaal is privé detective in de doe het zelf zaak.

Noch de eerste noch de tweede zin is lees- of begrijpbaar. Daarom gebruiken we in een aantal gevallen een streepje. De regels voor het streepje zijn soms ingrijpend gewijzigd. We geven een overzicht van alle regels.

REGELS

1. Samenstellingen met gelijkwaardige delen krijgen een streepje.
   blauw-zwart, Knokke-Heist, schrijver-conferencier

   Tussen de gelijkwaardige delen en een volgend deel komt geen streepje.
   doe-het-zelfzaak, trein-tram-busdag, woon-werkverkeer

2. Tweeledige samenstellingen waarvan een deel een nauw-verbonden voor- of nabepaling is, krijgen een streepje.
   christen-democratie, directeur-generaal, minister-president, niet-roker, oud-wielrenner, privé-detective, sociaal-democratie,

3. Samenstellingen krijgen een streepje wanneer ze een hoofdletter bevatten, wanneer er interpretatieproblemen kunnen ontstaan of wanneer ze onoverzichtelijk worden.
   Rode-Kruispost, Mona-Lisaglimlach
   basiswoorden-boek, basis-woordenboek, kwarts-lagen, kwart-slagen
   glas-in-lood-ramen, kat-en-muis-spel

4. Samenstellingen waarin de laatste letter van het eerste deel en de eerste letter van het volgende deel de tekens voor één klinker kunnen vormen, krijgen een streepje.
   auto-ongeluk, dia-avond, gummi-jas, mede-inzittende, zee-egel

   Deze regel geldt ook voor afleidingen op *-achtig*.
   lila-achtig, zebra-achtig, <u>let op</u>: *detectiveachtig, parvenuachtig*

   Deze regel geldt ook voor de combinatie *i-i*.
   anti-intellectueel

   Uitzondering
   Deze regel geldt niet voor getallen in letters.
   tweeëntwintig, drieëndertig

5. Samengestelde aardrijkskundige namen en hun afleidingen krijgen een streepje.

   Latijns-Amerika, Latijns-Amerikaans, Oost-Vlaanderen, Oost-Vlaams,
   Zeeuws-Vlaanderen, Zeeuws-Vlaams, Zuidoost-Azië, Zuidoost-Aziatisch

6. Samenstellingen met cijfers, afkortingen, symbolen en letteraanduidingen krijgen een streepje.

   14-jarige, 16de-eeuws, $-teken, cd-rom, IQ-test, meervouds-s, tv-kijken

7. Enkele Griekse en Latijnse voorvoegsels krijgen doorgaans een streepje: adjunct-, aspirant-, ex-, loco-, pro-, pseudo-, quasi-, semi-, substituut-, vice-.
   (bij ex-, loco- en pro- alleen een streepje als het gaat om de betekenissen 'voormalig', 'plaatsvervangend' en 'voorstander')

   De voorvoegsels anti, co, contra, des, duo, maxi, mini, neo en sub komen doorgaans direct aan het woord vast.

OEFENING 16

Onderlijn de woordcombinatie die juist geschreven is.
Let goed op de uitzonderingen op de regel.

a. lange afstandsloper   b. lange-afstandsloper   c. langeafstandsloper

a. sociaal liberaal   b. sociaal-liberaal   c. sociaalliberaal

a. aspirant-commissaris   b. aspirantcommissaris   c. aspirant commissaris

a. Zuidfrans   b. Zuid-frans   c. Zuid-Frans

a. koffieautomaat   b. koffie-automaat   c. koffic automaat

a. 20ste eeuws   b. 20ste-eeuws   c. 20-ste eeuws

a. lagevloerbus   b. lage vloerbus   c. lage-vloerbus

a. pro vitamine   b. pro-vitamine   c. provitamine

a. Zuid Nederlandse   b. Zuid-Nederlandse   c. Zuidnederlandse

a. terzijdestaan   b. ter zijdestaan   c. ter zijde staan

a. linksrechtstegenstelling b. links-rechtstegenstelling c. links-rechts-tegenstelling

a. tot standkoming b. tot stand koming c. totstandkoming

a. tweedeklas reiziger b. tweede-klasreiziger c. tweedeklasreiziger

a. minimum loon b. minimumloon c. minimum-loon

a. Vlaams Parlementslid b. Vlaams-Parlementslid c. Vlaamsparlementslid

OEFENING 17

Vul het juiste woord in.
Let op het mogelijke betekenisverschil.

Wij hebben het bedrag dat u .... betaalde, teruggestort.
a. te veel b. teveel

Het is .... nog maar een kind.
a. ten slotte b. tenslotte

Hij is net .... als zijn broer een ondernemende kerel.
a. zo min b. zomin

Het is mij allemaal ....
a. te veel b. teveel

De regering neemt maatregelen .... haar doelstellingen te realiseren.
a. ten einde b. teneinde

De film is .... begonnen.
a. zo juist b. zojuist

Ik geef je .... mijn dromen.
a. alles behalve b. allesbehalve

Hij weet alles .... beter.
a. zo veel b. zoveel

Heb ik dit woord .... gespeld?
a. zo juist b. zojuist

Maak één woord van de omschrijvingen.

Schrijf bij elke samenstelling welke regel van toepassing is.

Een congres over de Derde Wereld: ....   *regel:* ....

Iemand uit het zuiden van West-Vlaanderen: .... *regel:* ....

Een woordenboek van basiswoorden: ....   *regel:* ....

Een dienstwagen van het Blauwe Kruis: ....   *regel:* ....

Een injectie met vitamines: ....   *regel:* ....

Een schilderij uit de 14de eeuw: ....   *regel:* ....

Het verkeer tussen woonplaats en werk: ....   *regel:* ....

De adjunct van de directeur:

....   *regel:* ....

Een vroegere (ex) voetballer:

....   *regel:* ....

Een land aan de Middellandse Zee:

....   *regel:* ....

Een ongeluk met de auto:

....   *regel:* ....

Een journalist die ook cabaretier is:

....   *regel:* ....

Beademing mond op mond:

....   *regel:* ....

Onderlijn de fout gespelde woorden en verbeter ze.
Pas de regels toe.

Hij heeft een huis in de nieuwbouw-wijk gekocht. ....

Zij is belast met de coördinatie van de
milieuinspectie. ....

Een beperkte personeelsafvloei-ing kan het bedrijf
redden. ....

De baas van de contra-spionagedienst beval het
gebruik van waarheidsserum om infiltranten te ....
ontmaskeren.

De voetbaltrainer zocht nog een links voetige en
kopbalsterke aanvaller. ....

De telecommunicatie-industrie investeert in
telecommunicatie-apparatuur. ....

De Noord-Zuiddialoog wordt bemoeilijkt door
zwartwitdenken. ....

Na zijn pensionering werd de luitenant-kolonel
museum-directeur. ....

De eens zo gevreesde popcriticus presenteert nu de
top tien na het achtuurjournaal. ....

In het Middellandse Zeegebied is er beduidend
meer zonneschijn dan in de Baltische-Zeelanden. ....

De directeur gaf haar een vergeetmijnietje op
secretaressedag. ....

De openbaar vervoermaatschappij bestelt
lagevloerbussen. ....

Tal van textielfabrieken wijken uit naar
lage-lonen-landen. ....

Naïef na-apen: het trema

Het gebruik van het trema wijzigt licht in de nieuwe spelling. We geven voor de duidelijkheid alle regels.

REGELS

1. Gebruik een trema in een <u>niet-samengesteld</u> woord(deel) om te voorkomen dat twee opeenvolgende klanken als één klank gelezen worden.
   beëindigen, beïnvloeden, biënnale, coëfficiënt, coëxistentie, conciërge, coöperatie, coördinatie, egoïsme, financiële, geïnd, Israëliet, jezuïet, koloniën, maïs, naïviteit, patiënt, poëzie, reële, reliëf, reünie, ruïne, vacuüm

   Deze regel is <u>niet</u> van toepassing op de Latijnse en Franse uitgangen *-ei, -eus, -cum* en *-ien*.
   baccalaurei, baccalaureus, nuclei
   atheneum, lyceum, museum, petroleum
   milicien, opticien.

2. Bij meer dan twee klinkerletters wordt geen trema gezet direct na de *i* en krijgt alleen de *e* of de *i* een trema. Er komt dus geen trema als er geen gevaar voor verkeerd lezen bestaat.
   artificieel, aaien, begroeiing, draaiing, eieren, financieel, glooiing, kuieren, ooievaar, samenvloeiing, sjiiet, truien, verfraaiing,
   bantoeïstiek, bedoeïenen, mozaïek, weeïg,
   geëerd, geëuropeaniseerd, knieën, moeë, tatoeëren, zeeën,
   geautomatiseerd, geuit

3. Bij woordafbreking vervalt het trema.
   co-ordinatie, ge-eerd, knie-en

4. De regels voor het trema gelden niet voor afleidingen op *-achtig*. Dergelijke afleidingen krijgen een streepje als twee opeenvolgende klinkerletters als één klank gelezen kunnen worden.
   detectiveachtig, zebra-achtig

5. Het trema wordt niet gebruikt tussen delen van een <u>samenstelling</u> (zie regel 4 voor het gebruik van het streepje).
   auto-ongeluk, college-uren, milieu-inspectie, na-apen, toe-eigenen, zee-egel, zee-engte, zo-even, bio-industrie, macro-economie, micro-organisme, mini-emmer, multi-etnisch, neo-expressionisme

Onderlijn het juist gespelde woord.

Pas de regels voor het gebruik van het trema en het streepje toe.

a. netto-omzet	b. nettoömzet	c. netto omzet
a. zee-oppervlak	b. zeeöppervlak	c. zeeoppervlak
a. extra-legaal	b. extralegaal	c. extra legaal
a. grootte-orde	b. grootteörde	c. grootteorde
a. extra-ordinair	b. extraordinair	c. extra ordinair
a. co-educatie	b. coëducatie	c. coeducatie
a. collega-auteur	b. collegaäuteur	c. collega auteur
a. anti-inflatiebeleid	b. antiïnflatiebeleid	c. anti inflatiebeleid
a. zo-even	b. zoëven	c. zo even
a. zij-aanzicht	b. zijäanzicht	c. zijaanzicht
a. afvloeïng	b. afvloeiing	c. afvloeiïng
a. ski-oord	b. skiöord	c. skioord
a. ski-uitrusting	b. skiüitrusting	c. skiuitrusting
a. semi-officieel	b. semi officieel	c. semiofficieel
a. radio-actief	b. radioäctief	c. radioactief
a. macro-economie	b. macroëconomie	c. macro economie
a. sjiiet	b. sjiïet	c. sjïet
a. asperge-achtig	b. aspergeächtig	c. aspergeachtig
a. kippe-eieren	b. kippeëieren	c. kippeneieren

Opa's tv'tje: de apostrof

De regels voor het gebruik van de apostrof veranderen bijna niet. Voor de duidelijkheid geven we alle regels.

REGELS

1. De apostrof wordt gebruikt om een verkeerde uitspraak te voorkomen bij de <u>meervouds-s</u> in woorden die eindigen op *a, e, i, o, u of y*, voorafgegaan door een medeklinker of lettergreepgrens. Let op: de *e* uit deze reeks wordt uitgesproken als *ee*.
   opa's, azalea's, ave's, taxi's, foto's, paraplu's, baby's, hobby's, whisky's

Opgelet:
- Engelse woorden die eindigen op y krijgen in het Nederlands een meervouds-s: het is *baby's* en <u>niet</u> *babies, royalty's* en <u>niet</u> *royalties.*
- *garages, lentes* (de *e* wordt niet uitgesproken als *ee*)
- *cafés, procédés (*er staat een *é* en geen *e)*
- *abonnees, bureaus, dominees, essays, sprays* (de laatste klinkerletter wordt voorafgegaan door een andere klinkerletter)

2. De apostrof wordt gebruikt om een verkeerde uitspraak te voorkomen bij de <u>bezittelijke vorm</u> van woorden die eindigen op *a, e, i, o, u* of *y*, voorafgegaan door een medeklinker of lettergreepgrens. Let op: de *e* uit deze reeks wordt uitgesproken als *ee*.

> *opa's jas, Antigone's broer, Mimi's jurk, Leo's wafel, Lulu's huis, baby's wieg*

Opgelet:
- *Belgiës kust* (er staat een *ë* en geen *e*)
- *Egyptes piramiden, Filipjes flippo's* (de *e* wordt niet uitgesproken als *ee*)
- *MacKinseys rapport* (de laatste klinkerletter wordt voorafgegaan door een andere klinkerletter)
- *Brussels bier, Boons boeken* (woorden eindigen niet op een klinker)

3. Als een naam eindigt op een sisklank wordt de apostrof gebruikt in plaats van de s van de bezittelijke vorm.

> *Claus' meesterwerk, Mulisch' prijs, Gomez' auto, Alex' avontuur*

4. De apostrof wordt gebruikt in verkleinwoorden van woorden die eindigen op een y voorafgegaan door een medeklinkerletter.

> *baby'tje, lolly'tje, whisky'tje*
> *displaytje, spraytje* (de *y* wordt niet voorafgegaan door een medeklinker)

Opgelet:
- Als een woord eindigt op *a, e, o,* of *u*, voorafgegaan door een medeklinker of lettergreepgrens, wordt de laatste letter doorgaans verdubbeld.
  Let op: de *e* uit deze reeks wordt uitgesproken als *ee*. De *i* wordt in deze positie geschreven als *ie*.
  opaatje, skietje, autootje, accuutje
- Bij sommige woorden die uit het Frans komen, verandert het grondwoord.
  aspirine → aspirientje   *café → cafeetje*   *depot → depootje*
  souvenir → souveniertje   *logé → logeetje*   *taxi → taxietje*
- Bij woordafbrekingen vervalt de apostrof.
  baby-tje, lolly-tje, whisky-tje

5. De apostrof wordt gebruikt in afleidingen van cijfer- en letterwoorden.

> *AOW'er, A4'tje, 65+'er, CVP'er, D66'er, SP'er, tv's, cd'tje*

Opgelet:
- Gebruik geen apostrof in letterwoorden die niet meer herkenbaar zijn.
  radars, lasers, sonars
- In <u>samenstellingen</u> met cijfer- en letterwoorden komt een liggend streepje.
  cd-rom, tv-programma, MTV-studio
  <u>maar</u>: *cd's, tv'tje, MTV's studio*

OEFENING 21

Zet de woorden in het meervoud.

alinea	....	aspirine	....
auto	....	dominee	....
cadeau	....	plumeau	....
communiqué	....	moto	....
cowboy	....	lolly	....
etui	....	extra	....
familie	....	menu	....
rodeo	....	cd	....
ski	....	logé	....
oma	....	royalty	....
whisky	....	paraplu	....
café	....	kano	....

OEFENING 22

Vul in met een apostrof of een streepje.

tv...s	VU...er	Theo...s broer
cd...rom	NAVO...plan	baby...tje
pony...tje	Eva...s appel	auto...s
MBA...er	jury...s	cd...tje
Eddy...s merk	RWDM...er	UEFA...waarnemer

Onderstreep de fout gespelde woorden en verbeter de zin.
Herhalingsoefening apostrof, streepje, trema, samenstellingen, tussenletters.

De minister van Financiën heeft in een aantal KB-s de BTW-tarieven voor garage's en café's verlaagd.

....

De auteursvereniging kon betere co-efficiënten voor de berekening van de royalties voor debutant romanciers bedingen.

....

De opvoering van de operette-achtige twee-akter in het pasgerestaureerde negentiendeëeuwse stadtheater oogstte weinig bijval van het muziek-minnend publiek.

....

België's aanpak van de hoge snelheidstrein werd op de korrel genomen door de milieu-organisatie, die een aanvullend milieu-effecten-rapport ge-eist had over de aanleg van een HST-lijn vlakbij een dicht bevolkte wijk.

....

....

De smartlappen-zanger werd vaak ge-imiteerd door collega artiesten.

....

De substituutofficier ondervroeg de adjunct-directeurgeneraal van het semioverheidsbedrijf over de niet-aangegeven extra-legale voordelen.

....

De assistent bedrijfsleider bepleitte een stap voor stap-benadering bij de eigenaardirecteur.

....

HERHALINGSOEFENING 6

Maak zelf een samenstelling met de opgegeven woorden.

Pas de regels voor het aaneenschrijven, de tussenletters, het streepje, het trema en de apostrof toe.

beenhouwer + leerling ....

inflatie + ontwikkeling ....

blinde + geleiden + hond ....

kip + ei ....

adjunct + gemeente + archivaris ....

VTM + studio + opname ....

vijf + kamer + woning ....

olie + opslag + tank ....

baby + uitzet ....

EU + fraude + onderzoek ....

bediende + vakbond + congres ....

mede + eigenaar + vergadering ....

centrale + verwarming + ketel ....

vitamine + injectie ....

cd + rom + afspelen + apparaat ....

os + staart + soep ....

NAVO + snel + interventie + macht ....

dol + koe + ziekte + interpellatie ....

lijfrente + verzekering + premie ....

Golfde/golfte: Engelse werkwoorden

Het Nederlands heeft behoorlijk wat werkwoorden uit het Engels overgenomen. De nieuwe spelling schrijft regels voor die de moeilijkheden bij het vervoegen van die werkwoorden uit de wereld moeten helpen.

REGELS

1. Als het hele werkwoord min -en eindigt op een klinker, krijgt de verleden tijd -de en het voltooid deelwoord -d.

infinitief	stam	verleden tijd	voltooid deelwoord
bingoën	(ik) bingo	(ik) bingode	(ik heb) gebingood
displayen	(ik) display	(ik) displayde	(ik heb) gedisplayd
hockeyen	(ik) hockey	(ik) hockeyde	(ik heb) gehockeyd
lobbyen	(ik) lobby	(ik) lobbyde	(ik heb) gelobbyd
rugbyen	(ik) rugby	(ik) rugbyde	(ik heb) gerugbyd
taxiën	(ik) taxi	(ik) taxiede	(ik heb) getaxied

Opgelet!
- Soms verdubbelt de klinker: *gebingood*, *getaxied*.

2. Als het hele werkwoord min -en eindigt op een medeklinkerklank, gaat de vervoeging volgens de kofschipregel. Als de medeklinker in 't kofschip zit (*t, k, f, s, ch, p*), krijgt de verleden tijd -te en het voltooid deelwoord -t; in de andere gevallen -de respectievelijk -d.

Opgelet!
- Bij deze regel gaat het niet om de letters, maar om de klanken.

infinitief	stam	verleden tijd	voltooid deelwoord
checken	(ik) check	(ik) checkte	(ik heb) gecheckt
coachen	(ik) coach	(ik) coachte	(ik heb) gecoacht
faxen	(ik) fax	(ik) faxte	(ik heb) gefaxt
finishen	(ik) finish	(ik) finishte	(ik ben) gefinisht
flirten	(ik) flirt	(ik) flirtte	(ik heb) geflirt
lunchen	(ik) lunch	(ik) lunchte	(ik heb) geluncht
printen	(ik) print	(ik) printte	(ik heb) geprint
typen	(ik) typ	(ik) typte	(ik heb) getypt
dealen	(ik) deal	(ik) dealde	(ik heb) gedeald
plannen	(ik) plan	(ik) plande	(ik heb) gepland
scrabbelen	(ik) scrabbel	(ik) scrabbelde	(ik heb) gescrabbeld
showen	(ik) show	(ik) showde	(ik heb) geshowd

3. In het Engels geeft een *e* soms de uitspraak van de voorafgaande klinker of medeklinker aan. Deze uitspraak-e blijft in de stam staan in de vervoeging, maar telt niet mee om te bepalen welke vervoegingsregel van toepassing is. *raisen: de -e geeft aan dat de -s als -z moet worden uitgesproken.*

infinitief	stam	verleden tijd	voltooid deelwoord
barbecuen	*(ik) barbecue*	*(ik) barbecue*de	*(ik heb) gebarbecue*d
breakdancen	*(ik) breakdance*	*(ik) breakdance*te	*(ik heb) gebreakdance*t
bridgen	*(ik) bridge*	*(ik) bridge*de	*(ik heb) gebridge*d
fonduen	*(ik) fondue*	*(ik) fondue*de	*(ik heb) gefondue*d
managen	*(ik) manage*	*(ik) manage*de	*(ik heb) gemanage*d
piercen	*(ik) pierce*	*(ik) pierce*te	*(ik heb) gepierce*t
raisen	*(ik) raise*	*(ik) raise*de	*(ik heb) geraise*d
racen	*(ik) race*	*(ik) race*te	*(ik heb) gerace*t
recyclen	*(ik) recycle*	*(ik) recycle*de	*(ik heb) gerecycle*d
saven	*(ik) save*	*(ik) save*de	*(ik heb) gesave*d
tapen	*(ik) tape*	*(ik) tape*te	*(ik heb) getape*t
timen	*(ik) time*	*(ik) time*de	*(ik heb) getime*d

Uitzondering:
• Als de uitspraak-e betrekking heeft op een *o*-klank, verdwijnt die *e* en wordt de *o* verdubbeld.

infinitief	stam	verleden tijd	voltooid deelwoord
choken	*(ik) chook*	*(ik) chook*te	*(ik heb) gechook*t
promoten	*(ik) promoot*	*(ik) promoot*te	*(ik heb) gepromoo*t
scoren	*(ik) scoor*	*(ik) scoor*de	*(ik heb) gescoor*d

'4. In het Engels geeft een verdubbeling van een medeklinker soms ook de uitspraak van de voorafgaande klinker aan. De dubbele medeklinker verdwijnt als de klank is vernederlandst of ook in het Nederlands voorkomt.

infinitief	stam	verleden tijd	voltooid deelwoord
grillen	(ik) gril	(ik) grilde	(ik heb) gegrild
tossen	(ik) tos	(ik) toste	(ik heb) getost
volleyballen	(ik) volleybal	(ik) volleybalde	(ik heb) gevolleybald
yellen	(ik) yel	(ik) yelde	(ik heb) geyeld

Opgelet!
• De dubbele medeklinker blijft staan bij een niet-Nederlandse uitspraak.

infinitief	stam	verleden tijd	voltooid deelwoord
baseballen	(ik) baseball	(ik) baseballde	(ik heb) gebaseballd

5. Soms is het onduidelijk of de klank voorafgaand aan -en tot 't kofschip behoort. Sommigen spreken in *leasen* een *s* uit, anderen een *z*. Een *f* wordt soms ook als *v* uitgesproken.

infinitief	stam	verleden tijd	voltooid deelwoord
golfen	(ik) golf	(ik) golfde	(ik heb) gegolfd
		(ik) golfte	(ik heb) gegolft
leasen	(ik) lease	(ik) leasede	(ik heb) geleased
		(ik) leasete	(ik heb) geleaset

OEFENING 23

Vul aan indien nodig.
Let op: vergeet de uitspraak-e, de dubbele klinkers en medeklinkers niet!

Voorbeeld:

grillen	grilde	gegrild
baseballen	basebal........	gebasebal........
brainwashen	brainwash........	gebrainwash......
cancelen	cancel........	gecancel......
carpoolen	carpool........	gecarpool........

crashen	crash.........	gecrash......
cricketen	cricket.........	gecricket......
crossen	cros.........	gecros......
deleten	delet.........	gedelet......
faxen	fax.........	gefax.........
freelancen	freelanc.........	gefreelanc......
inchecken	check......... in	ingecheck......
joggen	jog.........	gejog......
keepen	keep.........	gekeep......
mixen	mix.........	gemix......
playbacken	playback.........	geplayback......
producen	produc.........	geproduc......
puzzelen	puzzel.........	gepuzzel......
quoten	quo.........	gequo......
rocken	rock.........	gerock......
saven	sav.........	gesav......
shoppen	shop.........	geshop......
smashen	smash.........	gesmash......
timen	tim.........	getim......
trainen	train.........	getrain......
updaten	updat.........	geüpdat......
windsurfen	windsurf.........	gewindsurf......

Onderlijn het juist gespelde voltooid deelwoord.

Als de twee vormen kunnen, onderlijn dan de twee.

badmintonnen	a. gebadmintont	b. gebadmintond
boycotten	a. geboycot	b. geboycottet
browsen	a. gebrowset	b. gebrowsed
claimen	a. geclaimt	b. geclaimd
coveren	a. gecovert	b. gecoverd
droppen	a. gedropt	b. gedroppet
grillen	a. gegrild	b. gegrilld
overrulen	a. overruled	b. overruuld
plannen	a. geplant	b. gepland
promoten	a. gepromotet	b. gepromoot
pushen	a. gepusht	b. gepushd
samplen	a. gesamplet	b. gesampled
shaken	a. geshaket	b. geshaked
settelen	a. gesettelt	b. gesetteld
stressen	a. gestrest	b. gestresst
tapen	a. getapet	b. getaped
taxiën	a. getaxid	b. getaxied
toasten	a. getoastet	b. getoast
tossen	a. getost	b. getosst
twisten	a. getwistet	b. getwist

62

Facelift: vreemde woorden combineren

Het Nederlands neemt gemakkelijk woorden uit andere talen over. Als we die woorden gaan combineren, komen we soms in de problemen. Regels geven is moeilijk: zelfs goede woordenboeken spreken elkaar tegen. Zoals voor dit hele oefenboek, baseren wij ons op de officiële Woordenlijst, het Groene boekje.

Het is raadzaam behoedzaam om te gaan met het lenen van anderstalige woorden. Als u te veel anderstalige woorden gebruikt, kan dat negatieve reacties oproepen. Waarom schrijft de auteur van volgende zin zo ingewikkeld? Om te imponeren? Of is hij gewoon te lui om te vertalen?

Volgens de executive officer blijkt uit de feasability study dat outsourcing meer cost effective is dan een take-over.

Deze zin kan ook in het Nederlands geschreven worden:

Volgens de directeur blijkt uit de haalbaarheidsstudie dat uitbesteding van taken minder kost dan een overname.

Let ook op het onzorgvuldig overnemen van vreemde woorden. Soms bestaan die woorden in het Nederlands niet, en riskeert u dat niemand begrijpt wat u bedoelt. Soms hebben die woorden in het Nederlands een andere betekenis dan u bedoelt, en dat kan tot misverstanden leiden.

Onderhandelingen *afronden,* <u>niet</u>: onderhandelingen *finaliseren.*
De instelling opent een *hulpkantoor,* <u>niet</u>: de instelling richt *een antenne* op.
Klantenbinding, <u>niet</u>: *fidelisering.*
Een overtreding wordt *bestraft,* <u>niet</u>: een overtreding wordt *gesanctioneerd (sanctioneren betekent: goedkeuren, bekrachtigen, waarborgen).*

VUISTREGELS

1. Schrijf Engelstalige woordcombinaties die bestaan uit een bijvoeglijk en een zelfstandig naamwoord, met een spatie.

   all risk, big bang, black power, blue jeans, happy end, happy few, joint venture, personal computer, total loss, white spirit, ...

   Uitzondering:
   • Enkele al heel lang ingeburgerde of heel gangbare combinaties worden als één woord geschreven.

   fulltime, parttime, hardware, software, oldtimer, freelancer, hardrock, hotdog, ...

2. Schrijf Engelstalige samenstellingen als één woord.

   airconditioning, bottleneck, breakpoint, coffeeshop, comeback, facelift, flashback, indoor, kingsize, knowhow, outfit, outplacement, peptalk, playbackshow, salesmanager, ...

   Uitzonderingen:
   • Engelstalige samenstellingen krijgen een streepje als klinkerletters van delen van de samenstelling botsen:

   body-art, eye-opener

   • Engelstalige samenstellingen krijgen een streepje als het laatste deel een voorzetsel is (behalve in woorden met -back en -down):

   black-out, cross-over, drive-in, set-up, stand-by
   flashback, breakdown

3. Schrijf Engelstalige woordcombinaties met een lidwoord of een voegwoord met een spatie.

   to the point, ups and downs, <u>maar</u>: *cash-and-carry*

4. Gemengde samenstellingen die beginnen met of eindigen op een anderstalig woord, worden aaneengeschreven.

   baseballspeler, housemuziek, parttimewerk
   boekhoudsoftware, schadeclaim, successtory

5. Gemengde samenstellingen en afleidingen die beginnen met anderstalige woorden, krijgen tussen die woorden een streepje als zij buiten de samenstelling een streepje of een spatie hebben.

   ad-interimdirecteur, body-arttentoonstelling, fin-de-siècleachtig

6. Plaats een streepje als dat de leesbaarheid ten goede komt.

   ad-hoc-onderzoek, would-be-detective, undercover-agent

VEELGEBRUIKTE ANDERSTALIGE WOORDEN

Kunnen we voor Engelstalige woordcombinaties nog enigszins vuistregels opstellen, voor combinaties uit andere talen geldt dat alleen het woordenboek uitsluitsel geeft. Daarom geven we een lijst van anderstalige woordcombinaties.

ad hoc
ad rem
a fortiori
aide-mémoire
amuse-gueule
après-ski
a-priori (het)
a priori
à propos
apropos (het)
art nouveau
au bain marie
Aufklärung
au pair
avant-gardisme
avant la lettre
bal masqué
beau monde
bon ton
bric à brac
café complet
chaise longue
clairvoyant
commedia dell'arte
comme il faut
contradictio in terminis
cordon bleu
couleur locale
coûte que coûte
croque-monsieur
dalai lama
déjà vu
de jure
dependance
derrière
deuce
deus ex machina
deux-chevaux
edelweiss
éminence grise
en face
enfant terrible

en plein public
en profil
enquêteren
et cetera
ex aequo
face à main
fait accompli
fata morgana
femme fatale
fin de siècle
Götterdämmerung
haute couture
haute cuisine
hors d'oeuvre
Hüttenkäse
idee-fixe
in concreto
in extenso
in optima forma
in petto
in spe
ipso facto
jeu de boules
jeune premier
kebab
knäckebröd
laisser-aller (het)
laisser faire
laissez passer
linea recta
lits-jumeaux
maffioso
mahjong
maître d'hôtel
maîtresse
mise-en-scène
muesli/müsli
multiple sclerose
non-ferro
nouvelle cuisine
pars pro toto
pas de deux

patates frites
peau de pêche
perestrojka
per se
pico bello
picollo
pied-à-terre
piëdestal
pili-pili
plan de campagne
poltergeist
poste restante
pot au feu
prima donna
pro Deo
ratatouille
raki
rauhfaser
ravioli
rêverie
riesling
rigor mortis
römertopf
rösti
rücksichtslos
salonfähig
señor
sikh
slivovitsj
smörrebröd
spielerei
stante pede
sur place
T-bonesteak
taekwondo
tifosi
trompe-l'oeil
überhaupt
Übermensch
va-et-vient
voodoo
weltschmerz

OEFENING 25

Maak een juiste samenstelling.

air + bus = ...

all + risk = ...

baby + sit = ...

back + up = ...

ball + room = ...

bar + keeper = ...

beauty + case = ...

body + building = ...

cash + flow = ...

check + list = ...

cyclo + cross = ...

dash + board = ...

drive + in = ...

eye + opener = ...

fall + out = ...

finishing + touch = ...

full + time = ...

hard + disk = ...

know + how = ...

lay + out = ...

mixed + grill = ...

mountain + bike = ...

off + day = ...

out + put = ...

over + drive = ...

pace + maker = ...

paper + back = ...

practical + joke = ...

pre + view = ...

septic + tank = ...

set + point = ...

show + bizz = ...

skate + board = ...

sleep + in = ...

slip + stream = ...

slow + motion = ...

smart + card = ...

snack + bar = ...

sound + track = ...

space + shuttle = ...

speed + boat = ...

stand + by = ...

sweat + shirt = ...

talk + show = ...

team+ work = ...

tele + shoppen = ...

time + sharing = ...

top + secret = ...

trend + setter = ...

try + out = ...

up + daten = ...

would + be = ...

OEFENING 26

Onderlijn het juist gespelde woord.

a. ad hoc-onderzoek
b. ad-hoconderzoek

a. airconditioning
b. air conditioning

a. all right
b. allright

a. back hand
b. backhand

a. black box
b. blackbox

a. bric-à-brac
b. bric à brac

a. book-maker
b. bookmaker

a. breakevenpoint
b. break-evenpoint

a. break point
b. breakpoint

a. cash and carry
b. cash-and-carry

a. credit-card
b. creditcard

a. enfant terrible
b. enfant-terrible

a. ex-aequo
b. ex aequo

a. fiftyfifty
b. fifty-fifty

a. fin de siècle-achtig
b. fin-de-siècleachtig

a. grill-room
b. grillroom

a. het à propos
b. het apropos

a. idee-fixe
b. idée fixe

a. imagebuilding
b. image building

a. joint venture
b. jointventure

a. knäkebröd
b. knäckebröd

a. laisser faire
b. laisser-faire

a. maffioso
b. mafioso

a. off line
b. off-line

a. one-manshow
b. onemanshow

a. out-fit
b. outfit

a. partner-ship
b. partnership

a. part-time
b. parttime

a. patates frites
b. patates-frites

a. pili pili
b. pili-pili

a. pinupgirl
b. pin-upgirl

a. play-backshow
b. playbackshow

a. pot au feu
b. pot-au-feu

a. publicrelations
b. public relations

a. selffulfilling prophecy
b. self-fulfilling prophecy

a. selfservice
b. self-service

a. self-supporting
b. selfsupporting

a. sensitivity training
b. sensitivity-training

a. setup
b. set-up

a. sky-line
b. skyline

a. slapstick
b. slap-stick

a. smörrebrod
b. smörrebröd

a. spielerei
b. Spielerei

a. station-car
b. stationcar

a. taxfree
b. tax-free

a. T-bonesteak
b. T-bone-steak

a. time-out
b. timeout

a. total loss
b. totalloss

a. tourist class
b. touristclass

a. trompe l'oeil
b. trompe-l'oeil

a. überhaupt
b. uberhaupt

a. ups and downs
b. ups-and-downs

a. up to date
b. up-to-date

a. va et vient
b. va-et-vient

a. walkie-talkie
b. walkietalkie

a. warming-up
b. warmingup

a. whirl-pool
b. whirlpool

a. whitespirit
b. white spirit

a. wildcard
b. wild card

a. wishfulthinking
b. wishful thinking

Crêpe suzette: accenttekens

In de lijst van veelgebruikte anderstalige woordcombinaties zijn we al woorden met accenttekens tegengekomen. In de nieuwe spelling zijn de regels voor de accenttekens enigszins gewijzigd.

REGELS

1. Schrijf in algemeen gangbare woorden van Franse herkomst alleen op de *e* accenttekens: *é* (accent aigu), *è* (accent grave), *ê* (accent circonflexe).
   comité, communiqué, scène (<u>maar</u>: *ensceneren*), *volière, crêpe, enquête, gênant, gêne* (<u>maar</u>: *generen*)

   - In algemeen gangbare woorden worden *â, ô, û* en *á* dus niet gebruikt.
     debacle, compote, depot, entrecote, paté, ragout

   - Woorden als *jubilee* en *trofee* zijn niet overgenomen uit het Frans.

2. In woorden en uitdrukkingen die nog als zuiver Frans worden aangevoeld en uitgesproken, blijven de accenttekens staan.
   à propos, coûte que coûte, dégénéré, déjà vu, en dépôt, maître d'hôtel, maîtresse, pâte, pâté de foie gras, tête-à-tête

3. Vrouwelijke nevenwoorden van woorden op *-é* krijgen *-ee*.
   attaché → *attachee; logé* → *logee; prostitué* → *prostituee*
   abonnee is zowel mannelijk als vrouwelijk
   matinee (Frans: matinée), puree (Frans: purée),

4. Het accent op de *é* in de eerste lettergreep vervalt.
   bechamelsaus, echec, egards, etage, frequent, plenair, present

5. Het klemtoonteken is het teken ´. Als de klank met meer dan één letter wordt weergegeven, krijgen de eerste twee letters – indien technisch mogelijk – een klemtoonteken. Boven een hoofdletter mag het accentteken achterwege blijven.
   dé enige échte, jé van hét, ééuwig, voorkómen, vóórkomen
   Eén teken is genoeg.
   De jongen eet een boterham. De jongen eet slechts één boterham.

6. De tekens ´ en ` worden ook gebruikt om de uitspraak van de letter *e* aan te geven.
   hé, hè, één, blèren

Woorden met valstrikken

In een aantal woorden zorgen de spellingregels soms voor verrassingen. Wij geven u een lijst van veelgebruikte woorden die vaak fout gespeld worden.

aanvoerster
abces
abonnee
accommodatie
acne
adellijk
adolescent
agressie
akoestiek
analist
analyseren
analyticus
anciënniteit
annonce
applaudisseren
arrondissement
asceet
aspirine
attractie
attribuut
baby's
bacchanaal
barbecue
bataljon
beits
Belgiës
bijvoorbeeld
biljet
blocnote
blouse
bouillon
boulevard
brij *(pap)*
brillantine
Brittannië
bronchitis
budgetteren
burgerlijk
cafés
cappuccino

carrière
caissière
carrousel
cassettes
chauffeur
chic
choqueren
cichorei
cider
cigarillo
cilinder
cipres
circus
cirkel
comité
contour
coup *(staatsgreep)*
coupe *(voor ijs)*
couplet
coupon
courant
couvert
cyclus
cynisch
debacle
dichtstbijzijnde
douane
doubleren
eczeem
eengezinswoning
eersteklas
encyclopedie
enigszins
espresso
etablissement
faillissement
faliekant
fascisme
frase
frikadel

feuilleton
fietsster
geenszins
gerechtelijk
gevlij *(in het gevlij komen)*
gezamenlijk
goochelen
gouverneur
graffiti
guerrilla
guillotine
hopelijk
hyacint
impresario
integratie
interessant
interview
jaloezie
journalist
kangoeroe
kapittel
karbonaadje
kasjmier
kasserol
leidmotief
loep
logenstraffen
lokettist
maffia
maîtresse
maquillage
manoeuvre
marsepein
medaille
millimeter
minutieus
mistletoe
mitrailleur
mozaïek
naïef

naïveteit/naïviteit
namelijk
negentiende-eeuws
nochtans
omelet
onmiddellijk
paperassen
parcours
parttime
pastille
patriottisme
per se
pijler
polikliniek
porselein
pousseren
present
puberteit
pygmee
pyjama
racisme
rancuneuze
ratatouille

razzia
rechterlijk
rembours
remplaçant
represaille
retorisch
rigoureus
rododendron
roulette
route
satelliet
scène
sceptisch *(weifelend)*
septisch *(bedervend)*
sieraad
sifon
sigaar
sigaret
soeverein
souffleur
souper
souvenir
stiekem

stilistisch
syfilis
symbiose
synagoge
synchroon
tendensen
toentertijd
tournee
truc *(list)*
truck *(vrachtauto)*
trukendoos
twijfelen
uitweiden
vanille
verloochenen
vleien
   (naar de mond praten)
vlijen *(zacht neerleggen)*
weids
weifelen
woordvoerster
yahtze
yoghurt

OEFENING 27

Plaats zonodig een accent op de onderlijnde letter.

Geef ook aan welke regel van toepassing is.

maitre	regel:	enquete	regel:	deficit	regel: ....
blase	regel:	echelon	regel:	attachee	regel: ....
ragout	regel:	slechts een	regel:	dat is het!	regel: ....
souffle	regel:	entrecote	regel:	bleren	regel: ....
debacle	regel:	defile	regel:	misere	regel: ....

OEFENING 28

Onderlijn het woord dat juist is gespeld.

a. accommodatie
b. accomodatie

a. feulleton
b. feuilleton

a. omelet
b. omellet

a. maneuvre
b. manoeuvre

a. interview
b. intervieuw

a. pijama
b. pyjama

a. rechterlijke macht
b. rechtelijke macht

a. geenzins
b. geenszins

a. comité
b. comitee

a. facisme
b. fascisme

a. atractie
b. attractie

a. analiticus
b. analyticus

a. satelliet
b. sateliet

a. onmiddellijk
b. onmiddelijk

a. blocnote
b. blocknote

a. jaloezie
b. jalousie

a. soufleur
b. souffleur

a. polykliniek
b. polikliniek

a. faillisement
b. faillissement

a. misteltoe
b. mistletoe

a. tendenzen
b. tendensen

a. Belgiës
b. België's

a. chockeren
b. choqueren

a. goeverneur
b. gouverneur

Onderlijn in elke zin de fout en verbeter ze.

De mechanicien volgt een avondcursus elektronica, maar dat maakt van hem nog geen elektricien.

....

De criticus kon de cynische commentaar van de acteur op zijn kritiek niet apreciëren.

....

Het spectaculaire faillissement van het etablissement zorgde voor een waar debâcle in de horecasector.

....

De impressario deed brillantine in zijn haar omdat hij dat chic vond.

....

Onderlijn het juist gespelde woord.

a. atractie	a. frikandel	a. quarantaine
b. attractie	b. frikadel	b. karantaine
a. caoutchouc	a. kachmir	a. faximile
b. catchou	b. kasjmir	b. facsimile
a. per se	a. oxyde	a. termosfles
b. perse	b. oxide	b. thermosfles
a. ratatoulle	a. lokatie	a. cichorei
b. ratatouille	b. locatie	b. chicorei
a. rekwisitoor	a. mathematicus	a. souverein
b. requisitoor	b. matematicus	b. souverain
a. anciëniteit	a. extravagant	a. yatze
b. anciënniteit	b. ekstravagant	b. yahtze
a. koeioneren	a. spectaculair	a. Leitmotief
b. koeieneren	b. spektakulair	b. leidmotief
a. acoustiek	a. joghurt	a. sateliet
b. akoestiek	b. yoghurt	b. satelliet
a. onmiddellijk	a. clavecimbel	a. douane
b. onmiddelijk	b. klavecimbel	b. doeane
a. konsekwent	a. kapsule	a. karbonaadje
b. consequent	b. capsule	b. karbonaatje
a. trucage	a. tesaurus	a. casserol
b. trukage	b. thesaurus	b. kasserol
a. curve	a. sex-appeal	a. chokeren
b. kurve	b. seks-appeal	b. choqueren
a. ticket	a. excentriek	a. sanctie
b. tikket	b. exentriek	b. sanktie

Pasen en paasnacht: hoofdletters

De regels voor het gebruik van hoofdletters veranderen nauwelijks. We behandelen ze kort.

REGELS

1. Het eerste woord van een zin krijgt een hoofdletter. Als dat woord met een apostrof of een ander leesteken begint, krijgt het tweede woord een hoofdletter.
   Elke ochtend maakte hij een wandeling.
   's Ochtends maakt hij een wandeling.

   • Als de zin met een cijfer of een ander teken begint, krijgt het tweede woord geen hoofdletter.
   1995 is het jaar van de nieuwe spelling.
   §3 is duidelijk van toepassing.

2. Schrijf de namen van personen of zaken die als heilig worden beschouwd met een hoofdletter.
   Allah, God, het Koninkrijk Gods, het Opperwezen

3. Schrijf aanduidingen van vorstelijke personen, staatshoofden en kabinetsleden met een hoofdletter als de staatsrechtelijke functie is bedoeld.

Zijne Majesteit de Koning, de Minister van Financiën
de Koningin vaardigt wetten uit, <u>maar</u>: *koningin Beatrix*
onder de wettekst staat de handtekening van de Minister van Financiën,
<u>maar</u>: *de minister van Financiën verhoogt de accijnzen.*

4. Namen van personen krijgen een hoofdletter.

- In Nederland krijgt het voorzetsel of lidwoord een hoofdletter als er geen naam of voorletter aan voorafgaat.

- In Vlaanderen behouden lidwoorden en voorzetsels hun originele schrijfwijze. Omdat die originele schrijfwijze vaak niet bekend is, passen veel Vlamingen de Nederlandse regel toe.
Paula, mevrouw De Kort, Paula de Kort, P. de Kort, de heer en mevrouw Van Dale-De Kort, Sint-Paulus.

5. Als de persoonsnaam niet meer als zodanig fungeert, vervalt de hoofdletter. Dit geldt ook voor samenstellingen en afleidingen.
een colbert, brailleschrift, sint-bernardshond, freudiaans, marxist
<u>maar</u>: *een Rubens, de Nobelprijs*

- Deze regel laat enige vrijheid omdat men van mening kan verschillen over de vraag of de persoonsnaam nog als zodanig fungeert.

6. Aardrijkskundige namen, namen van hemellichamen en namen van gebouwen en vervoermiddelen krijgen een hoofdletter.
Antwerpen, Knokke-Heist, Grote Markt, Waterloosteenweg, Zuid-Europa, de Poolster, het Atomium, het Centraal Station, de Eurostar

- Namen van windstreken krijgen een kleine letter behalve als er een regio mee wordt aangeduid; afleidingen van en samenstellingen met een windstreek krijgen een kleine letter.
westenwind, de westerse wereld, het Westen is rijk, noordpool

7. Schrijf afleidingen van en samenstellingen met aardrijkskundige namen met een hoofdletter.
Nederlands, Nederlandstalig, Zuid-Frans, Middellandse-Zeegebied

8. Als de aardrijkskundige naam niet meer als zodanig fungeert, vervalt de hoofdletter. Deze regel geldt ook voor samenstellingen en afleidingen.
cognac, moezelwijn, neerlandistiek, balkaniseren

- Deze regel laat enige vrijheid omdat men van mening kan verschillen over de vraag of de aardrijkskundige naam nog als zodanig fungeert.

76

9. Schrijf namen van talen en dialecten met een hoofdletter.
   Nederlands, Engels, Brabants, Noord-Nederlands, West-Vlaams

10. Schrijf namen van feestdagen, tijdperken en historische gebeurtenissen met een hoofdletter, tenzij de naam onderdeel uitmaakt van een samenstelling of afleiding.
    Hemelvaart, Kerstmis (feestdag), de Middeleeuwen, de Tweede Wereldoorlog
    hemelvaartsdag, kerstmis (eucharistieviering), kerstvakantie, middeleeuws

11. Schrijf namen van culturele, maatschappelijke en religieuze stromingen met een kleine letter. Ook aanhangers van die stromingen worden met een kleine letter geschreven.
    gotiek, classicisme, classicist, <u>maar</u>: *Jugendstil, liberalisme, liberaal, christendom, christen, rooms-katholiek, republikein*

12. Schrijf namen van organen, instellingen, verenigingen, diensten, bedrijven, boeken, films, enz. met een hoofdletter.
    Belgacom, Europese Unie, Nederlandse Taalunie, Het verdriet van België

- Voor afkortingen van dit soort namen zijn geen bindende regels die het gebruik van hoofdletters voorschrijven. Volg de door de instantie zelf gebruikte schrijfwijze.
  Benelux, BRTN, EU, KLM, PvdA, RTBf, Sabena

- Voor andere afkortingen gelden evenmin bindende regels. Enkele vuistregels:
  - *Schrijf afgekorte titulatuur met kleine letter en punt: lic., mr., prof.*
  - *Schrijf veelgebruikte afkortingen met kleine letter en zonder punt: aids, cd-rom, tv, vzw*
  - *Schrijf afkortingen van wetten en regelingen met hoofdletters en zonder punt: KB, CAO*
  - *Schrijf maten en gewichten met kleine letters: cm, km, hl, kg*
  - *Munten hebben internationale symbolen: BEF, NLG. Gebruik bij voorkeur echter: fr., fl. of f*

OEFENING 29

Onderlijn het juiste woord.

De secretaris-generaal / Secretaris-Generaal van de Noord-Atlantische Verdragsorganisatie. / Noordatlantische Verdragsorganisatie.

De Joodse / joodse bioloog heeft een Arabische / arabische werkvrouw.

Toen de Paus koningin / paus Koningin Fabiola ontving, bespraken ze de heilige schrift. / Heilige Schrift.

Met kerstmis / Kerstmis hield de Dominee / dominee een preek over de westerse / Westerse consumptiedrang.

Tijdens de parade in Havanna / havanna rookte Fidel Castro Havanna's. / havanna's.

De Minister van Arbeid / minister van Arbeid keurde de ambtenaren-CAO / ambtenaren-cao goed.

De prof bestudeerde middeleeuwse / Middeleeuwse geschriften over de kruistochten. / Kruistochten.

Prof. / Prof Janssens doceert Zuidafrikaanse / Zuid-Afrikaanse letterkunde.

De marxist / Marxist dronk een glas Cognac / cognac met de voorzitter van de liberale partij. / Liberale Partij.

De Zeeuws-Vlaamse / Zeeuwsvlaamse barones droeg een echte chanel. / Chanel.

De Middenoostenconferentie / Midden-Oostenconferentie vindt plaats in een New Yorks / Newyorks hotel.

11 Jongens / jongens speelden voetbal op een Zuid-Frans / Zuidfrans dorpsplein.

De minister van volksgezondheid / minister van Volksgezondheid houdt een toespraak over Aids-preventie. / aidspreventie.

OEFENING 30

Onderlijn het juiste gespelde woord en geef aan waarom.

a. Allah
b. allah   regel: ....

a. zijne majesteit
b. Zijne Majesteit   regel: ....

a. brailleschrift
b. Brailleschrift   regel: ....

a. renaissance
b. Renaissance   regel: ....

a. romantiek
b. Romantiek   regel: ....

a. christen-democraat
b. Christen-Democraat regel: ....

a. Grote markt
b. Grote Markt   regel: ....

a. het catalaans
b. het Catalaans   regel: ....

a. Zuid-Oost-Azië
b. Zuidoost-Azië   regel: ....

a. Eerste Wereldoorlog
b. eerste wereldoorlog regel: ....

a. Calvinist
b. calvinist   regel: ....

a. Brussel-centrum
b. Brussel-Centrum   regel: ....

a. Nieuw-Zeelander
b. Nieuwzeelander   regel: ....

a. rijnaak
b. Rijnaak   regel: ....

a. Anglicaan
b. anglicaan   regel: ....

a. Kruistochten
b. kruistochten   regel: ....

a. paasmaandag
b. Paasmaandag   regel: ....

a. noordpool
b. Noordpool   regel: ....

a. UEFA
b. Uefa   regel: ....

a. Distrigas
b. distrigas   regel: ....

a. Balkaniseren
b. balkaniseren   regel: ....

a. lic. Peeters
b. Lic. Peeters   regel: ....

a. links-liberaal
b. links-Liberaal   regel: ....

a. Europees Parlement
b. Europees parlement   regel: ....

a. ministerie van Arbeid
b. Ministerie van Arbeid regel: ....

a. Oudjaar
b. oudjaar   regel: ....

a. Esperanto
b. esperanto   regel: ....

a. het wilde Westen
b. het wilde westen   regel: ....

HERHALINGSOEFENING 9

Geef de fouten aan en verbeter ze.
In elke zin zitten drie fouten.

De lekebroeder wilde perse op het clavecimbel spelen.

....

In deze kreche is er te weinig beddegoed voor alle babies.

....

De korpulente dame denkt dat ze in die out-fit een wespetaille heeft.

....

Ze aten een amuse gueule en barbecueten dan een T-bone-steak.

....

Zij schreef een forse check uit voor een stapel cdees en cd-rom's.

....

De Westvlaamse toerist bezocht diverse café's en wankelde bij dagenraad terug naar zijn hotelkamer.

....

Op de hoogste boekeplank in de biblioteek vond hij een interessante publikatie.

....

De stafleden hielden ruggenspraak over de eigenaardige metoden van de docent frans.

....

Door de verraderlijke draaing van de weg vinden er frekwent autoöngelukken plaats.

....

Onderlijn de fout gespelde woorden en verbeter ze.

Haar favoriete tv-feuileton is een Belgisch-Nederlandse co-productie, een

....

BRT/NOS-samenwerking. Ze houdt vooral van de politieinspecteur die

....

steeds bluejeans en modieuze sweatshirt's draagt. De seminonchalante

....

manier waarop hij drug-dealers en andere criminelen aanpakt, bevalt haar

....

wel. Ook de logée van de hoofdcommisaris vindt ze wel mooi getypeerd.

....

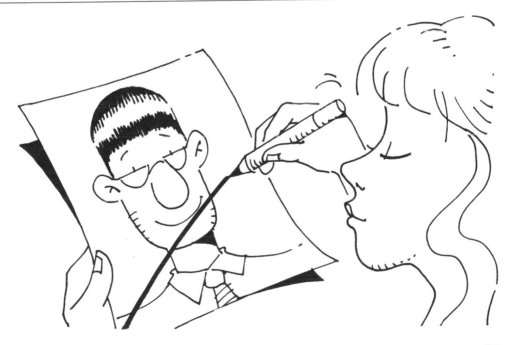

HERHALINGSOEFENING 11

Vul in:

Drink je een kopje ....?   *(thee/tee)*

Op het examen had hij een ....   *(blackout/black-out)*

Zij vertelde een leuke ....   *(anekdote/anecdote)*

Hij heeft de juiste ....   *(kwalifikaties/kwalificaties)*

Dat schilderij is niet ....   *(autentiek/authentiek)*

Na regen komt ....   *(zonnenschijn/zonneschijn)*

In de wandelgangen werd ....   *(gelobbyd/gelobbyt)*

Ze worden .... opgevoed.   *(antiautoritair/anti-autoritair)*

Dat beest is een ....   *(zee-egel/zeeëgel)*

Hij heeft een raar ....   *(idee-fixe/idée fixe)*

Wens iedereen netjes ....   *(weltenrusten/welterusten)*

Ze betogen tegen de ....   *(hoge snelheids-trein/hogesnelheidstrein)*

Die thesis heb ik ....   *(gepromoot/gepromood)*

Er was brand in het ....   *(Tweedekamergebouw/Tweede-Kamergebouw)*

Heb je gisteren ....?   *(gebridged/gebriget)*

Hij werkt bij een ....   *(coöperatie/co-operatie)*

Dat is een mooie ....   *(constructie/konstruktie)*

De artiest maakte een ....   *(come-back/comeback)*

Zij hebben lekker ....   *(gefonduet/gefondued)*

Oplossingen

Oefening 1

a. Insekten – lambrizering .... insecten – lambrisering
b. oxydeerde – harmonika .... oxideerde – harmonica
c. propaedeutische .... propedeutische
d. fotocopie–vredestractaat .... fotokopie – vredestraktaat
e. croquet .... kroket
f. praeses – praktizerend .... preses – praktiserend
g. produkt – elektrokutie .... product – elektrocutie
h. mediaevist – emfaze .... mediëvist – emfase
i. produktiviteit .... productiviteit

Oefening 2

c. akoestiek   d. apothekersexamen
a. cadeau   a. coalitieakkoord
b. circulaire   c. hypothecair
a. communicatie   a. certificatie
c. consequentie   c. reductiekaart
d. documentatie   b. kerstvakantie
d. kosmopolitisch   a. quoteringssysteem
c. lokaliseren   d. cosmetica
c. adjunct-commissaris   c. katalysator

Oefening 3

a. fout   i. fout
b. juist   j. juist
c. fout   k. fout
d. fout   l. juist
e. juist   m. juist
f. juist   n. fout
g. fout   o. juist
h. juist   p. fout

Oefening 4

direct .... *eindigt op -ect*   project .... *eindigt op -ect*
elektronisch .... *begint met elekt-*   implicatie .... *eindigt op -catie*
oktober .... *uitzondering op oct-*   elektron .... *begint met elekt-*
viaduct................................. *eindigt op -uct*   fictief .... *eindigt op -ctief*
educatief.............................. *eindigt op -catief*   aquaduct .... *eindigt op -uct*
actief .... *eindigt op -ctief*   dialect................................ *eindigt op -ect*
insect .... *eindigt op -ect*   octaan................................ *begint met oct-*
octopus .... *begint met oct-*   correct .... *eindigt op -ect*

Oefening 5

octrooi
productie
direct
Mexicaans
elektronica
publicatie
architect
constructief
defect
katapult
kwalificatie

vakantie
aspect
elektrode
catastrofaal
trucage
collectiviteit
criticus
katalysator
fictie
convocatie
elektro
octet

selectief
correctie
elektrocuteren
praktiseren
crimineel
communicatief
viaduct
instinctief
casino
klimatiseren

Oefening 6

a. crimineel
b. harmonica
a. vacaturestop
a. catalogeren
b. indicatie
b. krimi
a. elektronica
b. informatica
b. kwalificatie
a. viskroket
b. croquetspeler
a. zinkoxide
a. productiviteit
b. inductie
b. kritiek
a. collecte
a. publicatie
b. kopie

b. katalysator
b. selectiviteit
a. verificatie
b. insecticide
a. catamaran
b. respect
a. locatie
a. viaduct
b. verrukt
a. object
b. trucje
a. duplicatie
b. spectaculair
b. kosmopoliet
a. identificatie
b. architectuur
a. Mexicaans
b. katapult

b. fictief
a. selectie
a. kordon
a. complot
b. speculatief
a. conducteur
b. octrooi
b. prefect
a. effectief
b. educatie
a. kopieermachine
b. katafalk
b. Kongolees
b. sekte
b. elektromagnetisch
b. attractief
a. octrooi
b. dialect

Oefening 7

lakonieke → laconieke
adjunkt-directeur → adjunct
architekt → architect
korrespondent → correspondent
docter → dokter
aktrice → actrice
sekretaris → secretaris
spektaculair→ spectaculair
akteur → acteur
lokatie → locatie
karavan → caravan
kursus → cursus
kliënt → cliënt

lokomotief → locomotief
kollega → collega
clavecimbelconcert → klavecimbelconcert
krimineel → crimineel
circel → cirkel
colonel → kolonel
radikalen → radicalen
cirkustent → circustent
cannibalen → kannibalen
hypothekair → hypothecair
coctail → cocktail
vacantie → vakantie
kanapé → canapé

kaissière → *caissière*
localiseren → *lokaliseren*
katchoe → *caoutchouc*
infarkt → *infarct*
takt → *tact*
korrespondent → *correspondent*
konfigureert → *configureert*
helicopter → *helikopter*

kompliment → *compliment*
fiskus → *fiscus*
kontroleert → *controleert*
ekologische → *ecologische*
intakt → *intact*
klandestien → *clandestien*
konservatief → *conservatief*
projekt → *project*

Oefening 8

textiel	faxen	laks
examen	accident	export
sextant	experiment	vaccin
climax	taks	explosie
expres	occidentaal	flexibel
accepteren	seksshop	context

Oefening 9

a. equipe	a. antiquariaat	b. eurocheque
b. sekwester	b. kwantumsprong	a. quiche
b. quota	a. kwartssteen	a. jazzkwartet
a. kwalificatieronde	a. acquisitie	b. quaestor

Oefening 10

nochtans	kathedraal	catacomben
therapie	catechismus	enthousiasme
psychopaten	methode	thans
althans	etymologie	astma
diëtist	authentiek	ritme
hypotheek	thermosfles	labyrint
maturiteit	fantasie	thriller
pathetisch	sympathie	autochtoon
tatoeage	lithografie	theoreticus
apotheker	estheticus	homeopathie

Oefening 11

aangiftebiljet	*regel 2 (c)*	bruggenhoofd	*regel 1*
apenootje	*regel 1 (uitz. 3)*	dovenetel	*regel 1 (uitz. 5)*
apetrots	*regel 1 (uitz. 2)*	ebbenhout	*niet van toepassing (1)*
benzinegeur	*regel 2 (a)*	eikenboom	*regel 1*
beresterk	*regel 1 (uitz. 2)*	ladekast	*regel 2 (c)*
beukennootje	*regel 1*	galgenmaal	*regel 1*
bordenwasser	*regel 1*	garnaleplant	*regel 1 (uitz. 3)*

gedachtegang .... *regel 2 (c)*
geitenkaas.. *regel 1*
gildenmeester...................................... *regel 1*
hanenkam .... *regel 1*
hartenwens... *regel 1*
helleveeg............................... *regel 1 (uitz. 5)*
hoedenmaker .... *regel 1*
hondenweer .... *regel 1*
kamillethee .... *regel 2 (c)*
kattenkop .... *regel 1*
keuzevrijheid................................ *regel 2 (c)*
kippenhok .... *regel 1*
knikkebollen........................... *regel 1 (uitz. 5)*
kosteloos .... *regel 2 (e)*
kriekentaart .... *regel 1*

ledemaat .... *regel 1 (uitz. 5)*
luizenbaan .... *regel 1*
nachtegaal........................... *regel 1 (uitz. 5)*
paardenvijg .... *regel 1*
paddengif .... *regel 1*
pokkenweer .... *regel 1*
reuzenpas .... *regel 1*
roggemeel .... *regel 2 (a)*
ruggespraak .... *regel 1 (uitz. 4)*
sardienenblikje .... *regel 1*
sledehond .... *regel 2 (c)*
strottenhoofd .... *regel 1*
waardeschaal .... *regel 2 (c)*
zonnesteek .... *regel 1 (uitz. 1)*

Oefening 12

aktetas
apenrots
bananenschil
berenklauw
beukenboom
bolleboos
brievenbesteller
douanekantoor
driekoningenfeest
erwtensoep
fluitenkruid
getijdenwerking
groenteman
hartenkreet
hekkensluiter
herenboer

hondenhok
hordeloop
kinnebak
klerezooi
koeienletter
krullenbol
leeuwendeel
maneschijn
paddestoel
reuzemop
sardineblikje
schattebout
smartengeld
ziekteverlof
zielenpoot

Oefening 13

aalbessenconfituur .... *regel: 1*
apetrots .... *regel: 1 (uitz. 2)*
aardewerk .... *regel: 1 (uitz. 1) en 2 (a)*
ballenjongen .... *regel: 1*
bijenhoning .... *regel: 1*
boetekleed .... *regel: 2 (c)*
centenkwestie .... *regel: 1 (b)*
collectebus .... *regel: 2 (c)*
drakendoder .... *regel: 1*

eremedaille .... *regel: 2 (a)*
ganzenlever .... *regel: 1*
gedachtesprong .... *regel: 2 (c)*
gerstenat .... *regel: 2 (a)*
haaienvinnensoep.............................. *regel: 1*
handelarenvereniging .... *regel: 1 (b)*
helleveeg .... *regel: 1 (uitz. 5)*
karrenwiel .... *regel: 1*
kastanjeboom .... *regel: 2 (b)*

kattekruid	regel:1 (uitz. 3)	rijstebrij	regel: 2 (a)
koeienmelk	regel: 1	roggebrood	regel: 2 (a)
krantenverkoper	regel: 1	routebeschrijving	regel: 2 (c)
lawinegevaar	regel: 2 (b)	schadeclaim	regel: 2 (c)
lekenbroeder	regel: 1	secondelijm	regel: 2 (c)
linnengoed	niet van toepassing: 1	snoezepoes	regel: 1 (uitz. 5)
merendeel	niet van toepassing: 2	strottenhoofd	regel: 1
nuanceverschil	regel: 2 (c)	vliegezwam	regel: 1 (uitz. 3)
ossenstaart	regel: 1	vreugdevuur	regel: 2 (c)
papegaaienbek	regel: 1	waardepapier	regel: 2 (c)
perensap	regel: 1	weidevogel	regel: 2 (c)
prinsessenboon	regel: 1	zonnebrand	regel: 1 (uitz. 1)

Oefening 14

apothekersflesje
belastingcontroleur
beroepsziekte
doodsbedreiging
dopingtest
drugstore
fabriekssirene
geluidsmuur
huid(s)kleur
inkoop(s)prijs
jongensgrap
kapitaalschaarste
lcidingwatcr

leven(s)standaard
liefde(s)brief
loonsverhoging
melkchocolade
najaarszon
onderzoek(s)bureau
reddingsploeg
schaapherder
staatsschuld
spelling(s)regel
stadsschool
tijdsduur
verzekeringsbedrag

Oefening 15

b. evenveel
b. minimuminkomen
a. ingrijpen
a. hetzelfde

b. openhartoperatie
a. zojuist
a. volautomatisch
a. lagelonenlanden

Oefening 16

c. langeafstandsloper
b. sociaal-liberaal
a. aspirant-commissaris
c. Zuid-Frans
a. koffieautomaat
b. 20ste-eeuws
a. lagevloerbus
c. provitamine

b. Zuid-Nederlandse
c. ter zijde staan
b. links-rechtstegenstelling
c. totstandkoming
c. tweedeklasreiziger
b. minimumloon
b. Vlaams-Parlementslid

Oefening 17

a. te veel
b. tenslotte
b. zomin
a. te veel
b. teneinde

b. zojuist
a. alles behalve
a. zo veel
a. zo juist

Oefening 18

Derde-Wereldcongres .... *regel: 3*
Zuidwest-Vlaming .... *regel: 5*
basiswoorden-boek .... *regel: 3*
Blauwe-Kruisdienstwagen .... *regel: 3*
vitamine-injectie .... *regel: 4*
14de-eeuws schilderij .... *regel: 6*
woon-werkverkeer .... *regel: 1*

adjunct-directeur .... *regel: 2*
ex-voetballer .... *regel: 7*
Middellandse-Zeeland .... *regel: 5*
auto-ongeluk .... *regel: 4*
journalist-cabaretier........................... *regel: 1*
mond-op-mondbeademing .... *regel: 1*

Oefening 19

nieuwbouw-wijk .... → .... *nieuwbouwwijk*
milieuinspectie .... → .... *milieu-inspectie*
personeelsafvloei-ing .... → .... *personeelsafvloeiing*
contra-spionagedienst .... → .... *contraspionagedienst*
links voetige .... → .... *linksvoetige*
telecommunicatie-apparatuur .... → .... *telecommunicatieapparatuur*
zwartwitdenken .... → .... *zwart-witdenken*
museum-directeur .... → .... *museumdirecteur*
top tien .... → .... *toptien*
Middellandse Zeegebied .... → .... *Middelandse-Zeegebied*
vergeetmijnietje .... → .... *vergeet-mij-nietje*
openbaar vervoermaatschappij .... → .... *openbaarvervoermaatschappij*
lage-lonenlanden .... → .... *lagelonenlanden*

Oefening 20

a. netto-omzet
c. zeeoppervlak
b. extralegaal
c. grootteorde
a. extra-ordinair
b. coëducatie
a. collega-auteur
a. anti-inflatiebeleid
a. zo-even
c. zijaanzicht

b. afvloeiing
c. skioord
c. skiuitrusting
a. semi-officieel
c. radioactief
a. macro-economie
a. sjiiet
c. aspergeachtig
c. kippeneieren

Oefening 21

alinea's
auto's
cadeaus
communiqués
cowboys
etuis
families
rodeo's
ski's
oma's
whisky's
cafés

aspirines
dominees
plumeaus
moto's
lolly's
extra's
menu's
cd's
logés
royalty's
paraplu's
kano's

Oefening 22

tv's
cd-rom
pony'tje
MBA'er
Eddy's merk
VU'er
NAVO-plan
Eva's appel

jury's
RWDM'er
Theo's broer
baby'tje
auto's
cd'tje
UEFA-waarnemer

Oefening 23

baseballen	baseballde	gebaseballd
brainwashen	brainwashte	gebrainwasht
cancelen	cancelde	gecanceld
carpoolen	carpoolde	gecarpoold
crashen	crashte	gecrasht
cricketen	crickette	gecricket
crossen	croste	gecrost
deleten	deletete	gedeletet
faxen	faxte	gefaxt
freelancen	freelancete	gefreelancet
inchecken	checkte in	ingecheckt
joggen	jogde	gejogd
keepen	keepte	gekeept
mixen	mixte	gemixt
playbacken	playbackte	geplaybackt
producen	producete	geproducet
puzzelen	puzzelde	gepuzzeld
quoten	quoote	gequoot

rocken	rock**te**	**ge**rock**t**
saven	save**de**	**ge**save**d**
shoppen	shop**te**	**ge**shop**t**
smashen	smash**te**	**ge**smash**t**
timen	time**de**	**ge**time**d**
trainen	train**de**	**ge**train**d**
updaten	update**te**	**ge**üpdate**t**
windsurfen	windsurf**te**	**ge**windsurf**t**

Oefening 24

b. gebadmintond

a. geboycot

b. gebrowsed *(s wordt als z uitgesproken)*

b. geclaimd

b. gecoverd

a. gedropt

b. gegrild

a. overruled

b. gepland

a. gepromoot

a. gepusht

a. gesampled

a. geshaket

b. gesetteld

b. gestrest

a. getapet

b. getaxied

b. getoast

a. getost

b. getwist

Oefening 25

airbus

all risk

babysit

back-up

ballroom

barkeeper

beautycase

bodybuilding

cashflow

checklist

cyclocross

dashboard

drive-in

eye-opener

fall-out

finishing touch

fulltime

harddisk

knowhow

lay-out

mixed grill

mountainbike

offday

output

overdrive

pacemaker

paperback

practical joke

preview

septic tank

setpoint

showbizz

skateboard

sleep-in

slipstream

slowmotion

smartcard

snackbar

soundtrack

spaceshuttle

speedboat

stand-by

sweatshirt
talkshow
teamwork
teleshoppen
timesharing

top secret
trendsetter
try-out
updaten
would-be

Oefening 26

b. ad-hoconderzoek
a. airconditioning
b. allright
b. backhand
a. black box
b. bric à brac
b. bookmaker
b. break-evenpoint
b. breakpoint
b. cash-and-carry
b. creditcard
a. enfant terrible
b. ex aequo
a. fiftyfifty
b. fin-de-siècleachtig
b. grillroom
b. het apropos
a. idee-fixe
a. imagebuilding
a. joint venture
b. knäckebröd
a. laisser faire
a. maffioso
a. off line
b. onemanshow
b. outfit
b. partnership
b. parttime
a. patates frites
b. pili-pili

b. pin-upgirl
b. playbackshow
a. pot au feu
b. public relations
b. self-fulfilling prophecy
a. selfservice
b. selfsupporting
b. sensitivity-training
b. set-up
b. skyline
a. slapstick
b. smörrebröd
a. spielerei
b. stationcar
a. taxfree
a. T-bonesteak
a. time-out
a. total loss
b. touristclass
b. trompe-l'oeil
a. überhaupt
a. ups and downs
b. up-to-date
b. va-et-vient
b. walkietalkie
a. warming-up
b. whirlpool
b. white spirit
a. wildcard
b. wishful thinking

Oefening 27

maître .... *regel: 2*
blasé .... *regel: 1*
ragout .... *regel: 1*
soufflé .... *regel: 1*
debacle .... *regel: 1*

enquête .... *regel: 2*
echelon .... *regel: 4*
slechts één .... *regel: 5*
entrecote .... *regel: 1*
defilé .... *regel: 1*

deficit ....*regel: 4* dát is het! ....*regel: 5*

attachee ....*regel: 3* blèren ....*regel: 6*

misère ....*regel: 2*

Oefening 28

a. accommodatie

b. manoeuvre

a. rechterlijke macht

b. fascisme

a. satelliet

a. jaloezie

b. faillissement

a. Belgiës

b. feuilleton

a. interview

b. geenszins

b. attractie

a. onmiddellijk

b. souffleur

b. mistletoe

b. choqueren

a. omelet

b. pyjama

a. comité

b. analyticus

a. blocnote

b. polikliniek

b. tendensen

b. gouverneur

Oefening 29

secretaris-generaal – Noord-Atlantische Verdragsorganisatie

joodse – Arabische

paus – koningin – Heilige Schrift

Kerstmis – dominee – westerse

Havanna – havanna's

minister van Arbeid – ambtenaren-CAO

middeleeuwse – Kruistochten

Prof. – Zuid-Afrikaanse

marxist – cognac – liberale partij

Zeeuws-Vlaamse – Chanel

Midden-Oostenconferentie – New Yorks

jongens – Zuid-Frans

minister van Volksgezondheid – aidspreventie

Oefening 30

a. Allah .... *regel: 2*

b. Zijne Majesteit .... *regel: 3*

a. brailleschrift .... *regel: 5*

b. Renaissance .... *regel: 10*

a. romantiek .... *regel: 11*

a. christen-democraat .... *regel: 11*

b. Grote Markt .... *regel: 6*

b. het Catalaans .... *regel: 9*

b. Zuidoost-Azië .... *regel: 7*

a. Eerste Wereldoorlog .... *regel: 10*

b. calvinist ....*regel: 11*

b. Brussel-Centrum .... *regel: 6*

a. Nieuw-Zeelander .... *regel: 7*

a. rijnaak .... *regel: 5*

b. anglicaan .... *regel: 11*

a. Kruistochten .... *regel: 10*

a. paasmaandag .... *regel: 10*

a. noordpool .... *regel: 6*

a. UEFA .... *regel: 12*

a. Distrigas .... *regel: 12*

b. balkaniseren .... *regel: 8*

a. lic. Peeters .... *regel: 12*

a. links-liberaal .... *regel: 11*

a. Europees Parlement .... *regel: 12*

b. Ministerie van Arbeid .... *regel: 3*

b. oudjaar ....*uitz. op regel: 10*

a. Esperanto .... *regel: 9*

a. het wilde Westen .... *regel: 6*

Herhalingsoefening 1

b. cheque
c. maquette
a. kwitantie
c. acquisitie
a. chic
b. consequent
c. kwalificatie

a. quiz
c. kwartet
b. liquideren
a. bibliothecaris
c. delinquent
b. excentrieke

Herhalingsoefening 2

b. kosmos
a. althans
a. defect
b. trukeren
b. seks
a. quotum
b. katholiek
b. conducteur
a. kantine
a. aspect
a. hypotheek
b. octopus
a. kapucijn
b. therapie
a. karamel
a. sextant
a. chrysant
b. cliché
a. thesis
a. publicatie

a. credo
b. litho
a. relikwie
a. adequaat
a. climax
a. praktiseren
a. cosmetica
b. lariks
b. frequent
a. taks
a. authentiek
a. cabaret
b. prefect
a. aquarel
b. vakantie
b. labyrint
b. bacterie
a. klavecimbel
b. sanctie

Herhalingsoefening 3

geboortegolf
gemeentepersoneel
invloedssfeer
kattebelletje
kattenstaart
koopmanszoon
lamsvlees

paardebloemen
pensioen(s)bijdrage
ribbenkast
veiligheidsspeld
volksschrijver
waternood

Herhalingsoefening 4

b. bakkersroom

a. doopnaam

b. drugsmisbruik
b. garnalenvisser
a en b. geluid(s)hinder
a. liefdeszanger
a en b. liefde(s)brief
b. loontoeslag
a. paardedistel
a. paddestoel
b. pannenlap
b. raadsheer
a. rattenvergif
a en b. redding(s)boei

b. rozengeur
a. schoolschrift
a. sledehond
a. spellingwijziging
a en b. tijd(s)bepaling
a en b. tijd(s)spanne
a. trendsetter
a. verkooporganisatie
b. vervoerscontract
b. zuiveringszout
b. zwanenzang

Herhalingsoefening 5

• KB-s → *KB's* – garage's → *garages* – café's → *cafés*

• co-efficiënten → *coëfficiënten* – royalties → *royalty's* –
  debutant romanciers → *debutant-romanciers*

• operette-achtige → *operetteachtige* – twee-akter → *tweeakter* –
  negentiendeëeuwse → *negentiende-eeuwse* – stadtheater → *stadstheater* –
  muziek-minnend → *muziekminnend*

• België's → *Belgiës* – hoge snelheidstrein → *hogesnelheidstrein* –
  milieu-organisatie → *milieuorganisatie* –
  milieu-effecten-rapport → *milieueffectenrapport* –
  ge-eist → *geëist* – dicht bevolkte → *dichtbevolkte*

• smartlappen-zanger → *smartlappenzanger* – ge-imiteerd → *geïmiteerd* –
  collega artiesten → *collega-artiesten*

• substituutofficier → *substituut-officier* –
  adjunct-directeurgeneraal → *adjunct-directeur-generaal* –
  semioverheidsbedrijf → *semi-overheidsbedrijf* – extra-legale → *extralegale*

• assistent bedrijfsleider → *assistent-bedrijfsleider* –
  stap voor stap-benadering → *stap-voor-stapbenadering* –
  eigenaardirecteur → *eigenaar-directeur*

Herhalingsoefening 6

beenhouwersleerling
inflatieontwikkeling
blindengeleidehond
kippenei

adjunct-gemeentearchivaris
VTM-studio-opname
vijfkamerwoning
olieopslagtank

babyuitzet
EU-fraudeonderzoek
bediendevakbondscongres
mede-eigenaarsvergadering
centraleverwarmingsketel
vitamine-injectie

cd-rom-afspeelapparaat
ossenstaartsoep
NAVO-snelle-interventiemacht
dollekoeienziekte-interpellatie
lijfrenteverzekeringspremie

Herhalingsoefening 7

mechanicien → *mecanicien*
apreciëren → *appreciëren*
debâcle → *debacle*
impressario → *impresario*

Herhalingsoefening 8

b. attractie
a. caoutchouc
a. per se
b. ratatouille
a. rekwisitoor
b. anciënniteit
a. koeioneren
b. akoestiek
a. onmiddellijk
b. consequent
a. trucage
a. curve
a. ticket

b. frikadel
b. kasjmir
b. oxide
b. locatie
a. mathematicus
a. extravagant
a. spectaculair
b. yoghurt
b. klavecimbel
b. capsule
b. thesaurus
a. sex-appeal
a. excentriek

a. quarantaine
b. facsimile
b. thermosfles
a. cichorei
a. souverein
b. yahtze
b. leidmotief
b. satelliet
a. douane
a. karbonaadje
b. kasserol
b. choqueren
a. sanctie

Herhalingsoefening 9

- lekebroeder → *lekenbroeder* – perse → *per se* – clavecimbel → *klavecimbel*
- kreche → *crèche* – beddegoed → *beddengoed* – babies → *baby's*
- korpulente → *corpulente* – out-fit → *outfit* – wespetaille → *wespentaille*
- amuse gueule → *amuse-gueule* – barbecueten → *barbecueden* –
  T-bone-steak → *T-bonesteak*
- check → *cheque* – cdees → *cd's* – cd-rom's → *cd-roms*
- Westvlaamse → *West-Vlaamse* – café's → *cafés* – dagenraad → *dageraad*
- boekeplank → *boekenplank* – bibliteek → *bibliotheek* – publikatie → *publicatie*
- ruggenspraak → *ruggespraak* – metoden → *methoden* – frans → *Frans*
- draaing → *draaiing* – frekwent → *frequent* – autoöngelukken → *auto-ongelukken*

Herhalingsoefening 10

tv-feuileton → *tv-feuilleton* – co-productie → *coproductie* –
BRT/NOS-samenwerking → *BRT-NOS-samenwerking* –
politieinspecteur → *politie-inspecteur* – bluejeans → *blue jeans* –
sweatshirt's → *sweatshirts* – seminonchalante → *semi-nonchalante* –
drug-dealers → *drug(s)dealers* – logée → *logee* – hoofdcommisaris → *hoofdcommissaris*

Herhalingsoefening 11

thee
black-out
anekdote
kwalificaties
authentiek
zonneschijn
gelobbyd
antiautoritair
zee-egel
idee-fixe

welterusten
hogesnelheidstrein
gepromoot
Tweede-Kamergebouw
gebridged
coöperatie
constructie
comeback
gefondued